デザインの現場で役立つ

FREE FONT

フリーフォントセレクション 1100

standards

TENDONDO 4DS

フォントモンスター

FONT MONSTER

フォントの数だけ
モンスターがいる!!

2月31日テンドンドー4DSで
新発売!!!

Sample.01 新作ゲームポスター

使用フォント ▸ [998] アンニャントロマン　作者 ▸ 稲塚 春

Sample.02

クラブフライヤー

使用フォント ▸ [813] DeLarge
作 者 ▸ PintassilgoPrints

使用フォント ▸ [444] Subatomic Tsoonami
作 者 ▸ Kevin Meinert

Sample.03

ロックTシャツ

[792] Manuskript Gothisch ◂ 使用フォント
Peter Wiegel ◂ 作 者

Beijing Refresh Marathon 2020
北京清爽马拉松
2020
2020/7/23（星期五）
9:00 开始
招募跑步者
人数到达后截止
最多人数 12000
申请自己的方便后，您不能更改项目，取消，转让权利或更改名称。我们不会退还多余或重复的押金。如果您申请的人数超过了最大人数，则即使您在付款期限内支付了入场费，您的申请也可能会因付款日期而无效。在这种情况下，退款将通过组织者指定的方法进行。
申请期间
互联网 ：2019年10月13日 ▸▸▸ 2020年3月3日
http://pekin-sawayaka.cn/
电话号码：2019年10月13日 ▸▸▸ 2020年1月25日
0120-213-4567（周一至周五10～18時）
• 联系人：北京清爽马拉松指导委员会 • 电邮：sawayaka@unndoukai.ne.cn
謝残 中国沟通新聞網 北京汽車运输 河北電網公司 Haichi电动瞖部 上海批发商航空機製造

Sample.04 中国マラソンポスター

使用フォント ▸ [1090] Noto Sans TC 作者 ▸ Google

Sample.05

花火大会ポスター

使用フォント ▸ [911] 白舟行書教漢
作者 ▸ 株式会社白舟書体

Sample.06

カフェメニュー

[204] Chopin Script ◂ 使用フォント
ClaudeP ◂ 作者

[919] XANO明朝 ◂ 使用フォント
内田明 ◂ 作者

Sample.07

特売チラシ

使用フォント ▸ [904] Mgen+
作者 ▸ MM

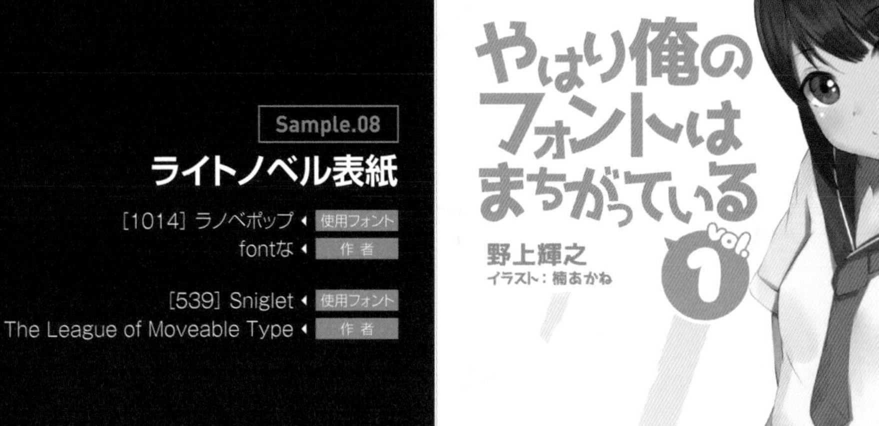

Sample.08

ライトノベル表紙

[1014] ラノベポップ ◂ 使用フォント
fontな ◂ 作者

[539] Sniglet ◂ 使用フォント
The League of Moveable Type ◂ 作者

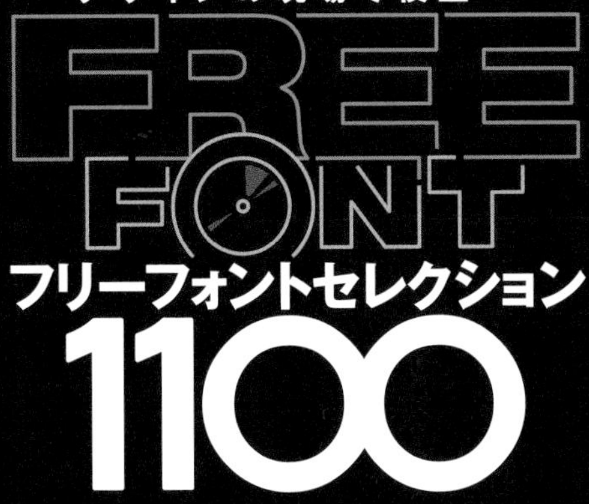
デザインの現場で役立つ
FREE
FONT
フリーフォントセレクション
1100

CONTENTS

Design Techniques

— プロデザイナー直伝! デザインが“ちょっと”良くなるコツ —

フリーフォント活用テクニック

フリーフォントを使ってオリジナルのデザインをしてみたいけど、思ったようなデザインができない。
そんな人のために、プロデザイナーが意識している「基礎的」だけど重要なテクニックを解説。

フォントの使いすぎはデザインコンセプトをブレさせる

デザインに合わせて使用フォントを絞る

かっこいいフォントをたくさん使うと「デザインした気分」になってしまうものだが、統一感がなく読みにくいデザインになることが多い。デザインフォントはスタイリッシュな物やかわいらしい物までいろいろあるが、それぞれのフォントが持つイメージを上手に見せることが大切だ。フォントをたくさん使ってしまうとイメージの方向性が定まらなくなるので、使用するフォントは2～3種類にしておくのがセオリー。フォントの種類を使わずに文字に変化をつけたい場合は、フォントのウエイト（太さ）を変えることでメリハリを出すことができる。フリーフォントにもウエイトの違うフォントが用意されている場合があるので、インストール時に確認しておこう。一般的に「レギュラー（R）」か「ミディアム（M）」とフォント名についていものが標準の太さになっている。

フォントを使いすぎた例

フォントを使いすぎるとデザインコンセプトがぼやけてしまい、素人っぽいデザインになってしまう。

適正にフォントを使った例

使用するフォントが2～3個しかなくても、文字の強弱などでメリハリは十分に出せる。

見た目だけでなく見やすさなども考えてセレクト

用途にあわせてフォントを使い分ける

どのフォントを使うかを選択する際、フォントの見た目やカッコ良さを重視するのはよいが、「そのフォントを使ったことで、見やすいデザインになっているか」ということも考える必要がある。例えば日本語フォントは大きく分けて「明朝体」と「ゴシック体」の2種類に分けられる。明朝体は優しく読みやすいため長文などでよく使われるのだが、もしこれを太めのゴシック体にすると目が疲れやすくなるため、読みにくくなってしまう。フォントごとの特徴や向いている用途なども考えてデザインすることが、「より良いデザイン」につながっていくのだ。

明朝体の特徴

明朝体(みんちょうたい)は、主に印刷において本文書体として使われている。可読性が高く読みやすいフォントで、やさしく、やわらかい印象を与える。文字にメリハリがあるため、文字数の多い文章に向いている。

ゴシック体の特徴

ゴシック体は、縦横の太さが均等なのが大きな特徴で、欧文書体におけるサンセリフ体に相当する。視認性が高いため目を引きやすく、強い印象を与えることができる。見出しなどに使うと効果的だ。

フォントの持つイメージをデザインに合わせる

先ほど「長文には明朝体が、見出しにはゴシック体が向いている」という話をしたが、だからといって必ずしもその通りにするのが正解というわけでもない。フォントを使う場合には、見やすさなどとは別に「フォントが持つイメージ」も重要となる。たとえば明朝体とゴシック体を見比べてみると、明朝体は和風、ゴシック体は洋風のイメージを想起させる。フォントのイメージとデザインをシンクロさせることで、より親和性の高いデザインをすることが可能になるのだ。フォントを選ぶ際には自分の好みとは別に、そのフォントがデザインの方向性に即しているかも考えた上で選ぶようにしたい。

和風デザインにゴシック体を使用

見出しにゴシック体を使ったことで視認性は上がっているが、全体的にデザインの方向性がぼやけてしまっている。

和風デザインに明朝体を使用

見出しに明朝体を使うことで和食の写真とイメージがシンクロし、日本的なイメージがより強調されているのがわかる。

余白の有無で誌面のイメージは変化する

余白を効果的に使う

デザインにおいて、余白は非常に重要な要素。余白のあるなしで見やすさや雰囲気までガラリと変わってしまうことが多い。とはいえ、余白の効果的な使い方を細かく説明するには誌面が足りないので、ここでは基本的な余白の使い方を紹介したい。ここで紹介した余白の使い方を意識するだけでも、デザインの見栄えはグッと変わってくるはずだ。

たとえば長い文章が入るデザインをする場合、見る側が"読みやすい"と感じるデザインにすることが大切。そのためには、ある程度の余白を入れて、文章にスペースの余裕をもたせるようにしたい。初見で目を引けるかどうかは文章デザインでは重要なファクターとなる。上手なデザインは、この余白でキャッチーさを表現できるのだ。

適度に余白が入ったデザイン ○

文章が内容ごとに区切られているため、気になるところだけを読みやすい。一ヶ所でも興味を引ければ、そのまま全体を読んでもらえるケースは多い。

文章と文章の間に余白がない ✕

文章が全部つながっているよう見えると、窮屈なイメージとなる。また、文量が多いイメージも与えるので、普段から文章を読まない人には悪印象となる。

文章の配置がスペースギリギリ

用紙いっぱいに文章が入っていると、こちらも余裕がなく窮屈なイメージになる。素人感も丸出しになってしまうため、それだけでスルーされやすくなる。

余白を使って高級感を演出

デザインに慣れていないと、余白をなるべく残さないようにパーツを配置しがち。しかし、デザインでは余白があること自体は決して悪いことではない。余白を多めにデザインすることで、高級感やオシャレな印象を与えることができる。

逆に、余白をあまり作らないようにデザインするとチープなイメージや大衆感を出すことが可能。スーパーのポップや特売のチラシなどで活用したい

余白を使って高級感を出した例

余白を残したデザインをすることで、製品の高級感や上品な感じを表現できる。ブランド品や高級スィーツなどの広告を見ると、余白をうまく使ったデザインをしている物が多い。

余白を減らしてお得感を出した例

余白がなるべくできないようにパーツを配置すると、良くいえば庶民的、悪くいえばチープなイメージになる。転じてお得感のある印象にできるので、うまく使えば効果は大きい。

見えないラインをそろえてデザインを引き締める

文章や画像のツラを合わせる

デザイン用語に「面（ツラ）を合わせる」という言葉がある。ツラとは、文章（テキストボックス）や画像の上下左右の4辺で、これを見えないガイドラインでしっかりとそろえるのが「ツラ合わせ」だ。デザインに不慣れな人がよくやる失敗のひとつに、このツラ合わせをフリーハンドで感覚的にやってしまうというのがある。ツラ合わせをまったくせずにデザインしてしまうと、非常に不格好なデザインになってしまう。

写真と文章が両方入ったページをデザインする場合、ツラ合わせはより難しくなる。ページ内の4辺だけでなく、各段落のツラや並んだ写真同士のツラ、文章とカコミとのツラなど、いろいろなツラを合わせるのは慣れないと難しいが、見映えのよいデザインにするために、できるようにしてもらいたい。

見えないガイドラインでそろえる

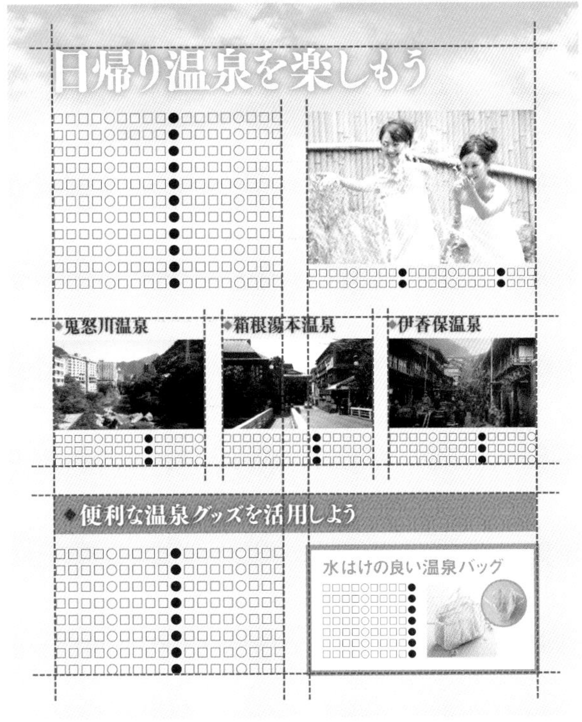

デザインを作ったら、文章や画像のツラを合わせるようにする。ツラは全体から細かいところまで神経質に合わせたい。

ソフトの機能を使ってツラを合わせる

ツラ合わせをフリーハンドで感覚的にやってしまうと、ツラが微妙にガタガタになり素人っぽさが出てしまう。デザインができるアプリではツラを合わせるための機能が用意されているので、それらをうまく使いたい。

ツラ合わせでもっとも便利なのが「グリッドとガイド」機能。グリッドとは、方眼のように一定間隔でページ内にガイド線を引く機能。ガイドはこのグリッドに文章や写真を近づけると自動でグリッドにフィットする機能だ。もうひとつ便利なのが、選択した複数の文章や画像を指定したルールで配置しなおす「配置（整列）」機能。Microsoft Officeシリーズにも搭載されているので使ってみよう。

グリッドやガイドの機能を使う

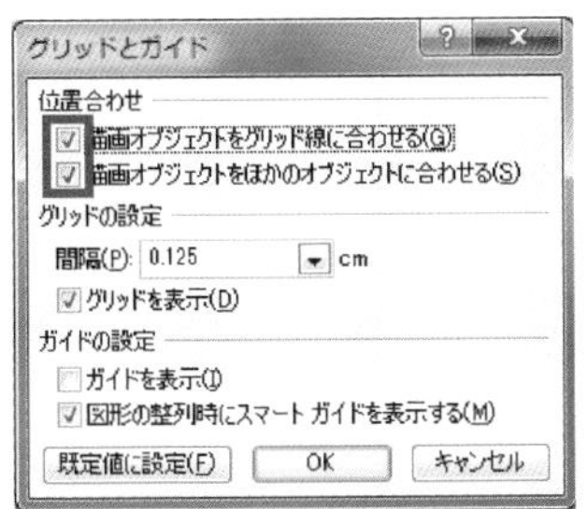

Office 2007のシリーズでは「ホーム」タブの「配置」→「グリッドの設定」から、Office 2010のシリーズでは右クリックメニューの「グリッドとガイド」などから機能を使える。「位置合わせ」の項目にチェックを入れるとガイド機能がオンになる。

配置機能でツラをそろえる

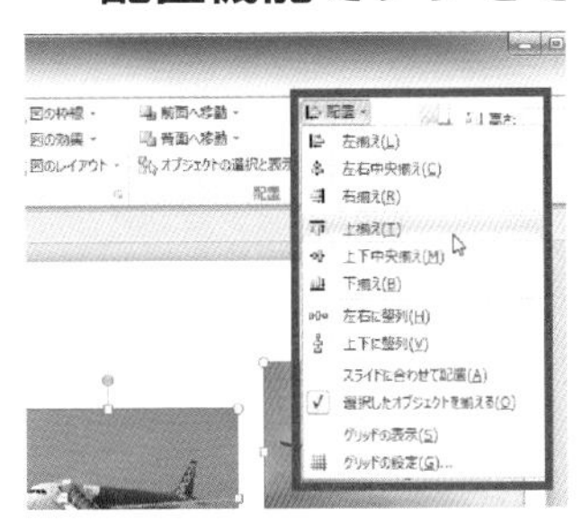

Officeシリーズはどれも「配置機能」で複数の写真や文字ボックスを整列できる。「書式」タブ「配置」ボタンからそろえ方を選択すればOK。

フォントにひと工夫加えてクオリティを1ランク上げる

立体感でメリハリを付ける

がんばってデザインしたのに、出来上がりがのっぺりとしたデザインに仕上がってしまった経験はないだろうか。クオリティの高いデザインをしたい場合は、立体感のあるデザインを心がけることが大切だ。立体感を付けることでページにメリハリが出るうえに、見せたい部分を浮き出すように見せることで、読み手への訴求力もアップする。

立体感を付けるテクニックはいくつかあるが、ポピュラーなところではシャドウやグラデーションなどがある。特にシャドウは文字に簡単に立体感を出したり沈み込ませたりできるので、まずはシャドウから使ってみるといいだろう。以下に立体感をつけるテクニックをいくつか紹介するので参考にしてほしい。

シャドウを付ける

Sample
Sample

背景をぼかす(ガウスぼかし)

グラデーションをかける

Sample
Sample

エンボスをかける

Sample
Sample

グラデーションの色の差に注意

グラデーションは立体感を出すのに非常に有効なテクニックだが、グラデーションの色の差があり過ぎるとリアリティがなくなり、見た目も非常に汚らしく見えてしまうことがある。きれいなグラデーションにするコツは"色の差をなるべく小さくする"こと。派手なグラデーションより軽めなグラデーションの方が良い効果を生むことが多いのだ。以下にグラデーションの良い例と失敗例を並べてみたので、グラデーションをかけ過ぎるとどう変わるかを確認してもらいたい。

ほどよいグラデーション

Sample
Sample

ナチュラルな明度の差にすると美しいグラデーションになり、合わせて立体感も表現できる。

過度なグラデーション

Sample
Sample

彩度（色の差）や明度の大きいグラデーションはキレイな見た目になりにくく、立体感も出てこない。

欧文 フリーフォントカタログ

FREE FONT CATALOG

フォントカタログの見方

1 本書の収録ナンバー
2 フォント名
3 1byteフォント/2byteフォント

001 Fat Cow 1Byte

作者 4th february　URL http://fonts.4thfebruary.com.ua/　商用利用：要事前連絡

WinTT
MacTT
OpenType
MacPS

ABCDEFGHIJKLMN
OPQRSTUVWXYZ
abcdefghijklmnopqrstuvwxyz1234567890

4 フォントタイプ
5 作者名
6 作者サイトURL
7 商用利用の可否

スタンダード

STANDARD

さまざまなデザインで使えるスタンダードなデザインのフォント

001 Fat Cow

1Byte

作者 ▸ 4th february　URL ▸ http://fonts.4thfebruary.com.ua/

商用利用：OK

WinTT / MacTT / OpenType / MacPS

ABCDEFGHIJKLMN
OPQRSTUVWXYZ
abcdefghijklmnopqrstuvwxyz1234567890

002 Archistico

1Byte

作者 ▸ Archistico　URL ▸ http://www.archistico.com/

商用利用：OK

WinTT / MacTT / OpenType / MacPS

ABCDEFGHIJKLMN
OPQRSTUVWXYZ
abcdefghijklmnopqrstuvwxyz1234567890

003 Brynda1231 Sans

1Byte

作者 ▸ Brynda1231　URL ▸

商用利用：OK

WinTT / MacTT / OpenType / MacPS

ABCDEFGHIJKLMN
OPQRSTUVWXYZ
abcdefghijklmnopqrstuvwxyz1234567890

004 outliner

1Byte

作者 ▸ Brynda1231　URL ▸

商用利用：OK

WinTT / MacTT / OpenType / MacPS

ABCDEFGHIJKLMN
OPQRSTUVWXYZ
ABCDEFGHIJKLMNOPQRSTUVWXYZ1234567890

005 Collegiate Heavy Outline

1Byte

作者 ▸ Character　URL ▸

商用利用：OK

WinTT / MacTT / OpenType / MacPS

ABCDEFGHIJKLMN
OPQRSTUVWXYZ
ABCDEFGHIJKLMNOPQRSTUVWXYZ1234567890

006 LeroyLetteringLightBETA01

1Byte

作者 ▸ Character　URL ▸

商用利用：OK

WinTT　MacTT　OpenType　MacPS

ABCDEFGHIJKLMN
OPQRSTUVWXYZ
abcdefghijklmnopqrstuvwxyz 1234567890

007 Dustismo Roman

1Byte

作者 ▸ Cheapskate Fonts　URL ▸

商用利用：OK

WinTT

ABCDEFGHIJKLMN
OPQRSTUVWXYZ
abcdefghijklmnopqrstuvwxyz1234567890

008 Dustismo

1Byte

作者 ▸ Cheapskate Fonts　URL ▸

商用利用：OK

WinTT

ABCDEFGHIJKLMN
OPQRSTUVWXYZ
abcdefghijklmnopqrstuvwxyz1234567890

009 Tt-Kp

1Byte

作者 ▸ Christophe Caignaert　URL ▸

商用利用：OK

WinTT

ABCDEFGHIJKLMN
OPQRSTUVWXYZ
abcdefghijklmnopqrstuvwxyz1234567890

010 Jura

1Byte

作者 ▸ Daniel Johnson　URL ▸

商用利用：OK

WinTT

ABCDEFGHIJKLMN
OPQRSTUVWXYZ
abcdefghijklmnopqrstuvwxyz1234567890

011 Bienetresocial

1Byte

作者 ▸ Diogene　URL ▸

商用利用：OK

WinTT

ABCDEFGHIJKLMN
OPQRSTUVWXYZ
abcdefghijklmnopqrstuvwxyz1234567890

欧文FONT ▸ スタンダード
012 Bold
1Byte
作者▸ Diogene
URL▸
商用利用：OK
WinTT
MacTT
OpenType
MacPS
ABCDEFGHIJKLMN
OPQRSTUVWXYZ
abcdefghijklmnopqrstuvwxyz1234567890
013 Essai
1Byte
作者▸ Diogene
URL▸
商用利用：OK
WinTT
MacTT
OpenType
MacPS
ABCDEFGHIJKLMN
OPQRSTUVWXYZ
abcdefghijklmnopqrstuvwxyz1234567890
014 Ahellya
1Byte
作者▸ Dmitry Barsukov
URL▸ https://www.behance.net/string4
商用利用：OK
WinTT
MacTT
OpenType
MacPS
ABCDEFGHIJKLMN
OPQRSTUVWXYZ
abcdefghijklmnopqrstuvwxyz1234567890
015 B20 Sans
1Byte
作者▸ Dmitry Barsukov
URL▸ https://www.behance.net/string4
商用利用：OK
WinTT
MacTT
OpenType
MacPS
ABCDEFGHIJKLMN
OPQRSTUVWXYZ
abcdefghijklmnopqrstuvwxyz1234567890
016 Fowviel
1Byte
作者▸ Dmitry Barsukov
URL▸ https://www.behance.net/string4
商用利用：OK
WinTT
MacTT
OpenType
MacPS
ABCDEFGHIJKLMN
OPQRSTUVWXYZ
abcdefghijklmnopqrstuvwxyz1234567890
017 Kraskario
1Byte
作者▸ Dmitry Barsukov
URL▸ https://www.behance.net/string4
商用利用：OK
WinTT
MacTT
OpenType
MacPS
ABCDEFGHIJKLMN
OPQRSTUVWXYZ
abcdefghijklmnopqrstuvwxyz1234567890

018 Constantine

1Byte

作者▸ DukomDesign　URL▸ http://www.fontspace.com/dukomdesign

商用利用：OK

WinTT

ABCDEFGHIJKLMN
OPQRSTUVWXYZ
ABCDEFGHIJKLMNOPQRSTUVWXYZ1234567890

019 PARTIN

1Byte

作者▸ DukomDesign　URL▸ http://www.fontspace.com/dukomdesign

商用利用：OK

WinTT

020 Intro Cond

1Byte

作者▸ Fontfabric　URL▸ http://fontfabric.com/

商用利用：OK

OpenType

ABCDEFGHIJKLMN
OPQRSTUVWXYZ
ABCDEFGHIJKLMNOPQRSTUVWXYZ1234567890

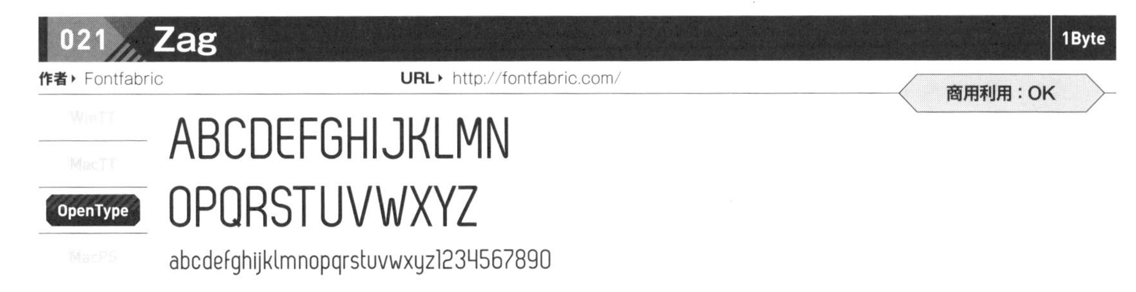

021 Zag

1Byte

作者▸ Fontfabric　URL▸ http://fontfabric.com/

商用利用：OK

OpenType

ABCDEFGHIJKLMN
OPQRSTUVWXYZ
abcdefghijklmnopqrstuvwxyz1234567890

022 BPreplay

1Byte

作者▸ George Triantafyllakos　URL▸ http://backpacker.gr/

商用利用：OK

OpenType

ABCDEFGHIJKLMN
OPQRSTUVWXYZ
abcdefghijklmnopqrstuvwxyz1234567890

023 Handserif

1Byte

作者▸ Gerhard Großmann　URL▸ http://charakterziffer.github.io/

商用利用：OK

WinTT

ABCDEFGHIJKLMN
OPQRSTUVWXYZ
abcdefghijklmnopqrstuvwxyz1234567890

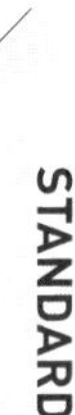

STANDARD　COOL　POP　DESIGN

024 Digitalt

1Byte

作者▸ gluk　URL▸ http://www.glukfonts.pl/

商用利用：OK

WinTT　MacTT　OpenType　MacPS

ABCDEFGHIJKLMN
OPQRSTUVWXYZ
ABCDEFGHIJKLMNOPQRSTUVWXYZ1234567890

025 Foglihten

1Byte

作者▸ gluk　URL▸ http://www.glukfonts.pl/

商用利用：OK

WinTT　MacTT　OpenType　MacPS

ABCDEFGHIJKLMN
OPQRSTUVWXYZ
abcdefghijklmnopqrstuvwxyz1234567890

026 FoglihtenB

1Byte

作者▸ gluk　URL▸ http://www.glukfonts.pl/

商用利用：OK

WinTT　MacTT　OpenType　MacPS

ABCDEFGHIJKLMN
OPQRSTUVWXYZ
ABCDEFGHIJKLMNOPQRSTUVWXYZ1234567890

027 FogtwoNo5

1Byte

作者▸ gluk　URL▸ http://www.glukfonts.pl/

商用利用：OK

WinTT　MacTT　OpenType　MacPS

ABCDEFGHIJKLMN
OPQRSTUVWXYZ
abcdefghijklmnopqrstuvwxyz1234567890

028 Garineldo

1Byte

作者▸ gluk　URL▸ http://www.glukfonts.pl/

商用利用：OK

WinTT　MacTT　OpenType　MacPS

ABCDEFGHIJKLMN
OPQRSTUVWXYZ
abcdefghijklmnopqrstuvwxyz1234567890

029 Glametrix

1Byte

作者▸ gluk　URL▸ http://www.glukfonts.pl/

商用利用：OK

WinTT　MacTT　OpenType　MacPS

ABCDEFGHIJKLMN
OPQRSTUVWXYZ
abcdefghijklmnopqrstuvwxyz1234567890

030 Mikodacs
1Byte

作者▸ gluk　URL▸ http://www.glukfonts.pl/

商用利用：OK

OpenType

ABCDEFGHIJKLMN
OPQRSTUVWXYZ
abcdefghijklmnopqrstuvwxyz1234567890

031 odstemplik
1Byte

作者▸ gluk　URL▸ http://www.glukfonts.pl/

商用利用：OK

OpenType

ABCDEFGHIJKLMN
OPQRSTUVWXYZ
abcdefghijklmnopqrstuvwxyz1234567890

032 QumpellkaNo12
1Byte

作者▸ gluk　URL▸ http://www.glukfonts.pl/

商用利用：OK

OpenType

ABCDEF GHIJKLMN
OPQRST UVWXYZ
abcdefghijklmnopqrstuvwxyz1234567890

033 Spinwerad
1Byte

作者▸ gluk　URL▸ http://www.glukfonts.pl/

商用利用：OK

WinTT

ABCDEFGHIJKLMN
OPQRSTUVWXYZ
abcdefghijklmnopqrstuvwxyz1234567890

034 Yokawerad
1Byte

作者▸ gluk　URL▸ http://www.glukfonts.pl/

商用利用：OK

OpenType

ABCDEFGHIJKLMN
OPQRSTUVWXYZ
abcdefghijklmnopqrstuvwxyz1234567890

035 Zantroke
1Byte

作者▸ gluk　URL▸ http://www.glukfonts.pl/

商用利用：OK

OpenType

ABCDEFGHIJKLMN
OPQRSTUVWXYZ
abcdefghijklmnopqrstuvwxyz1234567890

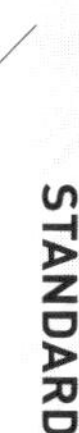

036 Hutan Lestari
1Byte

作者 ▸ Gunarta　URL ▸ http://www.fontasticindonesia.blogspot.jp/

商用利用：NG

WinTT / MacTT / OpenType / MacPS

ABCDEFGHIJKLMN
OPQRSTUVWXYZ
ABCDEFGHIJKLMNOPQRSTUVWXYZ1234567890

037 Kurnia
1Byte

作者 ▸ Gunarta　URL ▸ http://www.fontasticindonesia.blogspot.jp/

商用利用：OK

WinTT / MacTT / OpenType / MacPS

ABCDEFGHIJKLMN
OPQRSTUVWXYZ
abcdefghijklmnopqrstuvwxyz

038 Menjelajah Halmahera
1Byte

作者 ▸ Gunarta　URL ▸ http://www.fontasticindonesia.blogspot.jp/

商用利用：OK

WinTT / MacTT / OpenType / MacPS

ABCDEFGHIJKLMN
OPQRSTUVWXYZ
abcdefghijklmnopqrstuvwxyz1234567890

039 Oktober
1Byte

作者 ▸ Johannes Hirsekorn　URL ▸

商用利用：OK

WinTT / MacTT / OpenType / MacPS

ABCDEFGHIJKLMN
OPQRSTUVWXYZ
abcdefghijklmnopqrstuvwxyz1234567890

040 Essays 1743
1Byte

作者 ▸ John Stracke　URL ▸ http://www.thibault.org/newhome/

商用利用：OK

WinTT / MacTT / OpenType / MacPS

ABCDEFGHIJKLMN
OPQRSTUVWXYZ
abcdefghijklmnopqrstuvwxyz1234567890

041 Days Sans Black
1Byte

作者 ▸ Jovanny Lemonad　URL ▸ http://www.jovanny.ru/

商用利用：OK

WinTT / MacTT / OpenType / MacPS

ABCDEFGHIJKLMN
OPQRSTUVWXYZ
ABCDEFGHIJKLMNOPQRSTUVWXYZ1234567890

042 Hattori Hanzo 1Byte

作者▸ Jovanny Lemonad　URL▸ http://www.jovanny.ru/

商用利用：OK

043 Molot 1Byte

作者▸ Jovanny Lemonad　URL▸ http://www.jovanny.ru/

商用利用：OK

044 Numans 1Byte

作者▸ Jovanny Lemonad　URL▸ http://www.jovanny.ru/

商用利用：OK

045 Oranienbaum 1Byte

作者▸ Jovanny Lemonad　URL▸ http://www.jovanny.ru/

商用利用：OK

046 Philosopher 1Byte

作者▸ Jovanny Lemonad　URL▸ http://www.jovanny.ru/

商用利用：OK

047 Prosto Sans 1Byte

作者▸ Jovanny Lemonad　URL▸ http://www.jovanny.ru/

商用利用：OK

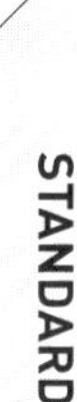

048 Russo One
1Byte

作者 ▸ Jovanny Lemonad　URL ▸ http://www.jovanny.ru/

商用利用：OK

WinTT

ABCDEFGHIJKLMN
OPQRSTUVWXYZ
abcdefghijklmnopqrstuvwxyz1234567890

049 Russo Sans Bold
1Byte

作者 ▸ Jovanny Lemonad　URL ▸ http://www.jovanny.ru/

商用利用：OK

OpenType

ABCDEFGHIJKLMN
OPQRSTUVWXYZ
ABCDEFGHIJKLMNOPQRSTUVWXYZ1234567890

050 Scada
1Byte

作者 ▸ Jovanny Lemonad　URL ▸ http://www.jovanny.ru/

商用利用：OK

WinTT

ABCDEFGHIJKLMN
OPQRSTUVWXYZ
abcdefghijklmnopqrstuvwxyz1234567890

051 Souses
1Byte

作者 ▸ Jovanny Lemonad　URL ▸ http://www.jovanny.ru/

商用利用：OK

OpenType

ABCDEFGHIJKLMN
OPQRSTUVWXYZ
abcdefghijklmnopqrstuvwxyz1234567890

052 Yeseva One
1Byte

作者 ▸ Jovanny Lemonad　URL ▸ http://www.jovanny.ru/

商用利用：OK

WinTT

ABCDEFGHIJKLMN
OPQRSTUVWXYZ
abcdefghijklmnopqrstuvwxyz1234567890

053 Hussar
1Byte

作者 ▸ KineticPlasma Fonts　URL ▸ http://cannotintospacefonts.blogspot.com/

商用利用：OK

WinTT　OpenType

ABCDEFGHIJKLMN
OPQRSTUVWXYZ
abcdefghijklmnopqrstuvwxyz1234567890

054 Rabbid Highway Sign VII

1Byte

作者▸ KineticPlasma Fonts　URL▸ http://cannotintospacefonts.blogspot.com/

商用利用：OK

OpenType
ABCDEFGHIJKLMN
OPQRSTUVWXYZ
abcdefghijklmnopqrstuvwxyz1234567890

055 Tracion

1Byte

作者▸ Marcus Lien Gundersen　URL▸ https://www.behance.net/marcusgundersen

商用利用：OK

WinTT
ABCDEFGHIJKLMN
OPQRSTUVWXYZ
ABCDEFGHIJKLMNOPQRSTUVWXYZ

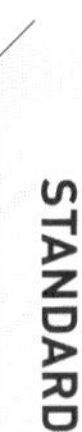

056 MPH 2B Damase

1Byte

作者▸ Mark Williamson　URL▸

商用利用：OK

WinTT
ABCDEFGHIJKLMN
OPQRSTUVWXYZ
abcdefghijklmnopqrstuvwxyz1234567890

057 Casual Hardcore

1Byte

作者▸ NAL　URL▸ http://nalgames.com/

商用利用：OK

OpenType
ABCDEFGHIJKLMN
OPQRSTUVWXYZ
ABCDEFGHIJKLMNOPQRSTUVWXYZ1234567890

058 Guilty Treasure

1Byte

作者▸ NAL　URL▸ http://nalgames.com/

商用利用：OK

OpenType
ABCDEFGHIJKLMN
OPQRSTUVWXYZ
abcdefghijklmnopqrstuvwxyz1234567890

059 Rvaturecu

1Byte

作者▸ NAL　URL▸ http://nalgames.com/

商用利用：NG

WinTT
ABCDEFGHIJKLMN
OPQRSTUVWXYZ
abcdefghijklmnopqrstuvwxyz1234567890

060 Sitdown
1Byte
作者▸ NAL
URL▸ http://nalgames.com/
商用利用：OK
WinTT
MacTT
OpenType
MacPS
ABCDEFGHIJKLMN
OPQRSTUVWXYZ
ABCDEFGHIJKLMNOPQRSTUVWXYZ1234567890

061 Anke
1Byte
作者▸ Noe Araujo
URL▸ http://noearaujo.com/
商用利用：OK
WinTT
MacTT
OpenType
MacPS
ABCDEFGHIJKLMN
OPQRSTUVWXYZ
abcdefghijklmnopqrstuvwxyz1234567890

062 Doris PP
1Byte
作者▸ Paulo Pedott
URL▸
商用利用：OK
WinTT
MacTT
OpenType
MacPS
ABCDEFGHIJKLMN
OPQRSTUVWXYZ
abcdefghijklmnopqrstuvwxyz1234567890

063 Alte DIN 1451 Mittelschrift
1Byte
作者▸ Peter Wiegel
URL▸ http://www.peter-wiegel.de/
商用利用：OK
WinTT
MacTT
OpenType
MacPS
ABCDEFGHIJKLMN
OPQRSTUVWXYZ
abcdefghijklmnopqrstuvwxyz1234567890

064 beroga
1Byte
作者▸ Peter Wiegel
URL▸ http://www.peter-wiegel.de/
商用利用：OK
WinTT
MacTT
OpenType
MacPS
abcdefghijklmn
opqrstuvwxyz
abcdefghijklmnopqrstuvwxyz1234567890

065 Bienchen SAS
1Byte
作者▸ Peter Wiegel
URL▸ http://www.peter-wiegel.de/
商用利用：OK
WinTT
MacTT
OpenType
MacPS
ABCDEFGHIJKLMN
OPQRSTUVWXYZ
abcdefghijklmnopqrstuvwxyz1234567890

066 Cat Shop

1Byte

作者▸ Peter Wiegel　URL▸ http://www.peter-wiegel.de/

商用利用：OK

WinTT MacTT OpenType MacPS

ABCDEFGHIJKLMN
OPQRSTUVWXYZ
abcdefghijklmnopqrstuvwxyz1234567890

067 Deutsche Normalschrift

1Byte

作者▸ Peter Wiegel　URL▸ http://www.peter-wiegel.de/

商用利用：OK

WinTT MacTT OpenType MacPS

ABCDEFGHIJKLMN
OPQRSTUVWXYZ
abcdefghijklmnopqrstuvwxyz1234567890

068 DIN 1451 fette Breitschrift 1936

1Byte

作者▸ Peter Wiegel　URL▸ http://www.peter-wiegel.de/

商用利用：OK

WinTT MacTT OpenType MacPS

ABCDEFGHIJKLMN
OPQRSTUVWXYZ
abcdefghijklmnopqrstuvwxyz1234567890

069 Discipuli Britannica

1Byte

作者▸ Peter Wiegel　URL▸ http://www.peter-wiegel.de/

商用利用：OK

WinTT MacTT OpenType MacPS

070 Doergon

1Byte

作者▸ Peter Wiegel　URL▸ http://www.peter-wiegel.de/

商用利用：OK

WinTT MacTT OpenType MacPS

071 Elbaris

1Byte

作者▸ Peter Wiegel　URL▸ http://www.peter-wiegel.de/

商用利用：OK

WinTT MacTT OpenType MacPS

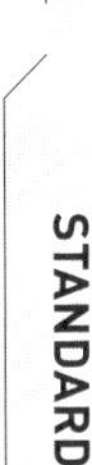

072 Erica Type

1Byte

作者 ▸ Peter Wiegel　URL ▸ http://www.peter-wiegel.de/

商用利用：OK

WinTT / MacTT / OpenType / MacPS

ABCDEFGHIJKLMN
OPQRSTUVWXYZ
abcdefghijklmnopqrstuvwxyz1234567890

073 Erika Ormig

1Byte

作者 ▸ Peter Wiegel　URL ▸ http://www.peter-wiegel.de/

商用利用：OK

WinTT / MacTT / OpenType / MacPS

ABCDEFGHIJKLMN
OPQRSTUVWXYZ
abcdefghijklmnopqrstuvwxyz1234567890

074 Fette Bauersche Antiqua

1Byte

作者 ▸ Peter Wiegel　URL ▸ http://www.peter-wiegel.de/

商用利用：OK

WinTT / MacTT / OpenType / MacPS

ABCDEFGHI
JKLMNOPQ
abcdefghijklm 1234567890

ABCDEFGHI
JKLMNOPQ
abcdefghijklm 1234567890

075 Fibel Nord

1Byte

作者 ▸ Peter Wiegel　URL ▸ http://www.peter-wiegel.de/

商用利用：OK

WinTT / MacTT / OpenType / MacPS

ABCDEFGHIJKLMN
OPQRSTUVWXYZ
abcdefghijklmnopqrstuvwxyz1234567890

ABCDEFGHIJKLMN
OPQRSTUVWXYZ
abcdefghijklmnopqrstuvwxyz1234567890

076 Fibel Sued

1Byte

作者 ▸ Peter Wiegel　URL ▸ http://www.peter-wiegel.de/

商用利用：OK

WinTT / MacTT / OpenType / MacPS

ABCDEFGHJJKLMN
OPQRSTUVWXYZ
abcdefghijklmnopqrstuvwxyz1234567890

ABCDEFGHJJKLMN
OPQRSTUVWXYZ
abcdefghijklmnopqrstuvwxyz1234567890

077 Fibel Vienna

1Byte

作者 ▸ Peter Wiegel　URL ▸ http://www.peter-wiegel.de/

商用利用：OK

WinTT / MacTT / OpenType / MacPS

ABCDEFGHIJKLMN
OPQRSTUVWXYZ
abcdefghijklmnopqrstuvwxyz1234567890

078 Fundamental
1Byte
作者 ▸ Peter Wiegel
URL ▸ http://www.peter-wiegel.de/
商用利用：OK
WinTT
ABCDEFGHIJKLMN
OPQRSTUVWXYZ
abcdefghijklmnopqrstuvwxyz1234567890
079 Gruenewald VA
1Byte
作者 ▸ Peter Wiegel
URL ▸ http://www.peter-wiegel.de/
商用利用：OK
WinTT
080 Helvetia Verbundene
1Byte
作者 ▸ Peter Wiegel
URL ▸ http://www.peter-wiegel.de/
商用利用：OK
WinTT
081 Immermann
1Byte
作者 ▸ Peter Wiegel
URL ▸ http://www.peter-wiegel.de/
商用利用：OK
WinTT
ABCDEFGHIJKLMN
OPQRSTUVWXYZ
abcdefghijklmnopqrstuvwxyz1234567890
082 Imrans School
1Byte
作者 ▸ Peter Wiegel
URL ▸ http://www.peter-wiegel.de/
商用利用：OK
WinTT
083 Indira K
1Byte
作者 ▸ Peter Wiegel
URL ▸ http://www.peter-wiegel.de/
商用利用：OK
WinTT
ABCDEFGHIJKLMN
OPQRSTUVWXYZ
abcdefghijklmnopqrstuvwxyz1234567890
STANDARD
COOL
POP
DESIGN

084 Kanalisirung

1Byte

作者▸ Peter Wiegel　URL▸ http://www.peter-wiegel.de/

商用利用：OK

WinTT / MacTT / OpenType / MacPS

ABCDEFGHIJKLMN
OPQRSTUVWXYZ
ABCDEFGHIJKLMNOPQRSTUVWXYZ1234567890

085 Preussische IV 44 Ausgabe 3

1Byte

作者▸ Peter Wiegel　URL▸ http://www.peter-wiegel.de/

商用利用：OK

WinTT / MacTT / OpenType / MacPS

ABCDEFGHIJKLMN
OPQRSTUVWXYZ
abcdefghijklmnopqrstuvwxyz1234567890

086 Preussische VI 9

1Byte

作者▸ Peter Wiegel　URL▸ http://www.peter-wiegel.de/

商用利用：OK

WinTT / MacTT / OpenType / MacPS

ABCDEFGHIJKLM
NOPQRSTUVWX
abcdefghijklmnopqrstuvw 1234567890

ABCDEFGHIJKLM
OPQRSTUVWXY
abcdefghijklmnopqrstuvw 1234567890

087 Wiegel Latein

1Byte

作者▸ Peter Wiegel　URL▸ http://www.peter-wiegel.de/

商用利用：OK

WinTT / MacTT / OpenType / MacPS

088 Qoncrete

1Byte

作者▸ Qwerks　URL▸ http://graphicriver.net/user/joiaco

商用利用：NG

WinTT / MacTT / OpenType / MacPS

ABCDEFGHIJKLMN
OPQRSTUVWXYZ
abcdefghijklmnopqrstuvwxyz1234567890

089 coopoppo

1Byte

作者▸ rain-road（rina）　URL▸ http://rain-road.com/

商用利用：要事前連絡

WinTT / MacTT / OpenType / MacPS

ABCDEFGHIJKLMN
OPQRSTUVWXYZ
abcdefghijklmnopqrstuvwxyz1234567890

090 coopoppo bold

1Byte

作者 ▸ rain-road（rina）　URL ▸ http://rain-road.com/

商用利用：要事前連絡

WinTT / MacTT / OpenType / MacPS

ABCDEFGHIJKLMN
OPQRSTUVWXYZ
abcdefghijklmnopqrstuvwxyz1234567890

091 Fenwick

1Byte

作者 ▸ Raymond Larabie　URL ▸ http://typodermicfonts.com/

商用利用：OK

WinTT / MacTT / OpenType / MacPS

ABCDEFGHIJKLMN
OPQRSTUVWXYZ
ABCDEFGHIJKLMNOPQRSTUVWXYZ1234567890

092 Jesaya

1Byte

作者 ▸ Raymond Larabie　URL ▸ http://typodermicfonts.com/

商用利用：OK

WinTT / MacTT / OpenType / MacPS

ABCDEFGHIJKLMN
OPQRSTUVWXYZ
abcdefghijklmnopqrstuvwxyz1234567890

093 Negotiate

1Byte

作者 ▸ Raymond Larabie　URL ▸ http://typodermicfonts.com/

商用利用：OK

WinTT / MacTT / OpenType / MacPS

ABCDEFGHIJKLMN
OPQRSTUVWXYZ
abcdefghijklmnopqrstuvwxyz1234567890

094 Rakesly

1Byte

作者 ▸ Raymond Larabie　URL ▸ http://typodermicfonts.com/

商用利用：OK

WinTT / MacTT / OpenType / MacPS

ABCDEFGHIJKLMN
OPQRSTUVWXYZ
abcdefghijklmnopqrstuvwxyz1234567890

095 Vexler Slip

1Byte

作者 ▸ Raymond Larabie　URL ▸ http://typodermicfonts.com/

商用利用：OK

WinTT / MacTT / OpenType / MacPS

aBCDeFGHIJKLmn
OPQRSTUVWXYZ
aBCDeFGHIJKLmnOPQRSTUVWXYZ1234567890

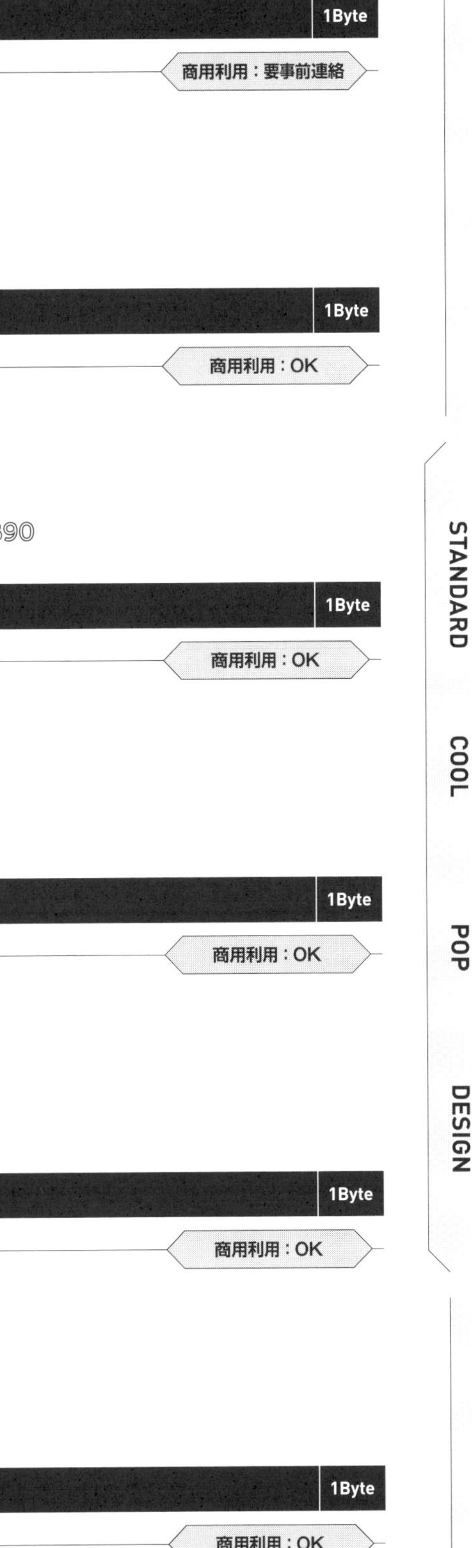

096 Liberation Mono

1Byte

作者▸ Red Hat　URL▸ https://www.redhat.com

商用利用：OK

WinTT / MacTT / OpenType / MacPS

097 Liberation Sans

1Byte

作者▸ Red Hat　URL▸ https://www.redhat.com

商用利用：OK

WinTT / MacTT / OpenType / MacPS

ABCDEFGHIJKLMN
OPQRSTUVWXYZ
abcdefghijklmnopqrstuvwxyz1234567890

098 Liberation Serif

1Byte

作者▸ Red Hat　URL▸ https://www.redhat.com

商用利用：OK

WinTT / MacTT / OpenType / MacPS

099 HeadlineNEWS

1Byte

作者▸ Reference Type Foundry　URL▸

商用利用：OK

WinTT / MacTT / OpenType / MacPS

100 Designer Notes

1Byte

作者▸ Roger Ridpath　URL▸ http://www.fontfuel.com/

商用利用：OK

WinTT / MacTT / OpenType / MacPS

101 Amerton Outline

1Byte

作者▸ Roger White　URL▸

商用利用：OK

WinTT / MacTT / OpenType / MacPS

102 Cardiff

1Byte

作者 ▸ Roger White　URL ▸

商用利用：OK

WinTT　MacTT　OpenType　MacPS

ABCDEFGHIJKLMN
OPQRSTUVWXYZ
abcdefghijklmnopqrstuvwxyz1234567890

103 Colton

1Byte

作者 ▸ Roger White　URL ▸

商用利用：OK

WinTT　MacTT　OpenType　MacPS

ABCDEFGHIJKLMN
OPQRSTUVWXYZ
abcdefghijklmnopqrstuvwxyz1234567890

104 Fradley

1Byte

作者 ▸ Roger White　URL ▸

商用利用：OK

WinTT　MacTT　OpenType　MacPS

ABCDEFGHIJKLMN
OPQRSTUVWXYZ
abcdefghijklmnopqrstuvwxyz1234567890

105 Gloucester Open Face

1Byte

作者 ▸ Roger White　URL ▸

商用利用：OK

WinTT　MacTT　OpenType　MacPS

ABCDEFGHIJKLMN
OPQRSTUVWXYZ
abcdefghijklmnopqrstuvwxyz1234567890

106 National First

1Byte

作者 ▸ Roger White　URL ▸

商用利用：OK

WinTT　MacTT　OpenType　MacPS

ABCDEFGHIJKLMN
OPQRSTUVWXYZ
abcdefghijklmnopqrstuvwxyz1234567890

107 Orgreave

1Byte

作者 ▸ Roger White　URL ▸

商用利用：OK

WinTT　MacTT　OpenType　MacPS

ABCDEFGHIJKLMN
OPQRSTUVWXYZ
abcdefghijklmnopqrstuvwxyz1234567890

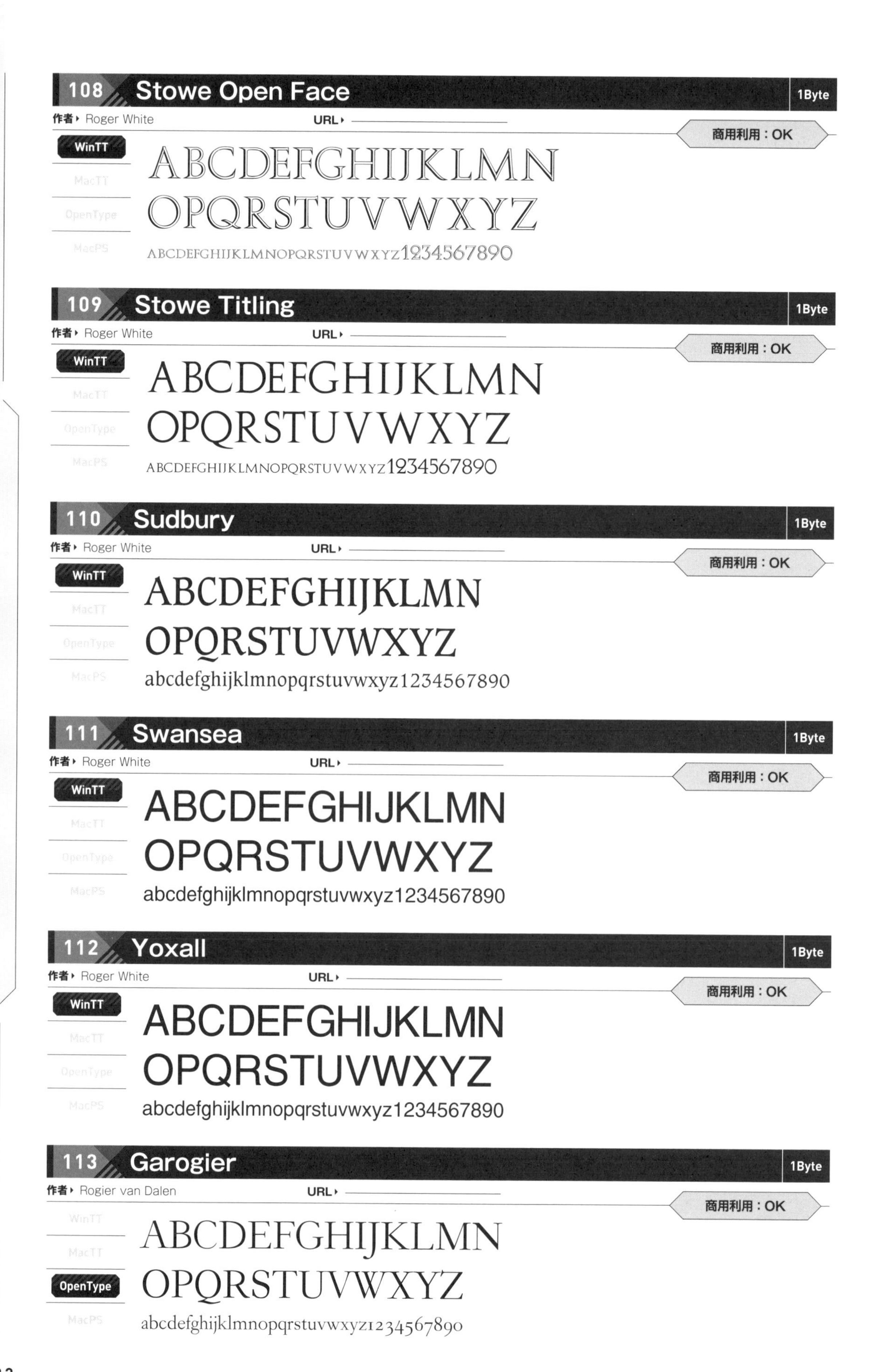

108 Stowe Open Face

1Byte

作者 ▸ Roger White　URL ▸

商用利用：OK

WinTT / MacTT / OpenType / MacPS

ABCDEFGHIJKLMN
OPQRSTUVWXYZ
ABCDEFGHIJKLMNOPQRSTUVWXYZ1234567890

109 Stowe Titling

1Byte

作者 ▸ Roger White　URL ▸

商用利用：OK

WinTT / MacTT / OpenType / MacPS

ABCDEFGHIJKLMN
OPQRSTUVWXYZ
ABCDEFGHIJKLMNOPQRSTUVWXYZ1234567890

110 Sudbury

1Byte

作者 ▸ Roger White　URL ▸

商用利用：OK

WinTT / MacTT / OpenType / MacPS

ABCDEFGHIJKLMN
OPQRSTUVWXYZ
abcdefghijklmnopqrstuvwxyz1234567890

111 Swansea

1Byte

作者 ▸ Roger White　URL ▸

商用利用：OK

WinTT / MacTT / OpenType / MacPS

ABCDEFGHIJKLMN
OPQRSTUVWXYZ
abcdefghijklmnopqrstuvwxyz1234567890

112 Yoxall

1Byte

作者 ▸ Roger White　URL ▸

商用利用：OK

WinTT / MacTT / OpenType / MacPS

ABCDEFGHIJKLMN
OPQRSTUVWXYZ
abcdefghijklmnopqrstuvwxyz1234567890

113 Garogier

1Byte

作者 ▸ Rogier van Dalen　URL ▸

商用利用：OK

WinTT / MacTT / OpenType / MacPS

ABCDEFGHIJKLMN
OPQRSTUVWXYZ
abcdefghijklmnopqrstuvwxyz1234567890

114 Legendum
1Byte

作者▸ Rogier van Dalen　URL▸

商用利用：OK

115 Livia Medium
1Byte

作者▸ S.G. Moye　URL▸

商用利用：OK

116 Gentium
1Byte

作者▸ SIL International　URL▸ http://www-01.sil.org/

商用利用：OK

117 Anysome
1Byte

作者▸ Situjuh Nazara　URL▸ http://c7n1.me/

商用利用：NG

118 BLACKPLOTAN
1Byte

作者▸ Situjuh Nazara　URL▸ http://c7n1.me/

商用利用：NG

119 Evogria
1Byte

作者▸ Situjuh Nazara　URL▸ http://c7n1.me/

商用利用：NG

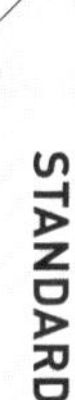

120 Gobold

1Byte

作者 ▸ Situjuh Nazara　URL ▸ http://c7n1.me/

商用利用：NG

WinTT / MacTT / **OpenType** / MacPS

ABCDEFGHIJKLMN
OPQRSTUVWXYZ
ABCDEFGHIJKLMNOPQRSTUV1234567890

ABCDEFGHIJKLMN
OPQRSTUVWXYZ
ABCDEFGHIJKLMNOPQRSTUV1234567890

121 GRATIS

1Byte

作者 ▸ Situjuh Nazara　URL ▸ http://c7n1.me/

商用利用：OK

WinTT / MacTT / OpenType / MacPS

ABCDEFGHIJKLMN
OPQRSTUVWXYZ
ABCDEFGHIJKLMNOPQRSTUVWXYZ1234567890

122 Hurufo & Numero

1Byte

作者 ▸ Situjuh Nazara　URL ▸ http://c7n1.me/

商用利用：OK

WinTT / MacTT / OpenType / MacPS

ABCDEFGHIJKLMN
OPQRSTUVWXYZ
abcdefghijklmnopqrstuvwxyz1234567890

123 Aurulent Sans

1Byte

作者 ▸ Stephen G. Hartke　URL ▸

商用利用：OK

WinTT / MacTT / **OpenType** / MacPS

ABCDEFGHIJKLMN
OPQRSTUVWXYZ
abcdefghijklmnopqrstuvwxyz1234567890

124 Aurulent Sans Mono

1Byte

作者 ▸ Stephen G. Hartke　URL ▸

商用利用：OK

WinTT / MacTT / **OpenType** / MacPS

ABCDEFGHIJKLMN
OPQRSTUVWXYZ
abcdefghijklmnopqrstuvwxyz1234567890

125 Verily Serif Mono

1Byte

作者 ▸ Stephen G. Hartke　URL ▸

商用利用：OK

WinTT / MacTT / **OpenType** / MacPS

ABCDEFGHIJKLMN
OPQRSTUVWXYZ
abcdefghijklmnopqrstuvwxyz1234567890

126 Tuffy

1Byte

作者▸ Thatcher Ulrich　URL▸ http://tulrich.com/

商用利用：OK

WinTT / OpenType

ABCDEFGHIJKLMN
OPQRSTUVWXYZ
abcdefghijklmnopqrstuvwxyz1234567890

127 Bitstream Vera Sans

1Byte

作者▸ The Gnome Project　URL▸

商用利用：OK

WinTT

ABCDEFGHIJKLMN
OPQRSTUVWXYZ
abcdefghijklmnopqrstuvwxyz1234567890

STANDARD

COOL

POP

DESIGN

128 Bitstream Vera Sans Mono

1Byte

作者▸ The Gnome Project　URL▸

商用利用：OK

WinTT

ABCDEFGHIJKLMN
OPQRSTUVWXYZ
abcdefghijklmnopqrstuvwxyz1234567890

129 Bitstream Vera Serif

1Byte

作者▸ The Gnome Project　URL▸

商用利用：OK

WinTT

ABCDEFGHIJKLMN
OPQRSTUVWXYZ
abcdefghijklmnopqrstuvwxyz1234567890

130 ChunkFive

1Byte

作者▸ The League of Moveable Type　URL▸ https://www.theleagueofmoveabletype.com/

商用利用：OK

WinTT / OpenType

ABCDEFGHIJKLMN
OPQRSTUVWXYZ
abcdefghijklmnopqrstuvwxyz1234567890

131 Fanwood

1Byte

作者▸ The League of Moveable Type　URL▸ https://www.theleagueofmoveabletype.com/

商用利用：OK

OpenType

ABCDEFGHIJKLMN
OPQRSTUVWXYZ
abcdefghijklmnopqrstuvwxyz1234567890

132 Goudy Bookletter 1911 — 1Byte

作者 ▸ The League of Moveable Type　URL ▸ https://www.theleagueofmoveabletype.com/

商用利用：OK

OpenType

ABCDEFGHIJKLMN
OPQRSTUVWXYZ
abcdefghijklmnopqrstuvwxyz1234567890

133 League Gothic — 1Byte

作者 ▸ The League of Moveable Type　URL ▸ https://www.theleagueofmoveabletype.com/

商用利用：OK

OpenType

ABCDEFGHIJKLMN
OPQRSTUVWXYZ
abcdefghijklmnopqrstuvwxyz1234567890

134 League Script Thin — 1Byte

作者 ▸ The League of Moveable Type　URL ▸ https://www.theleagueofmoveabletype.com/

商用利用：OK

OpenType

ABCDEFGHIJKLMN
OPQRSTUVWXYZ
abcdefghijklmnopqrstuvwxyz1234567890

135 League Spartan — 1Byte

作者 ▸ The League of Moveable Type　URL ▸ https://www.theleagueofmoveabletype.com/

商用利用：OK

OpenType

ABCDEFGHIJKLMN
OPQRSTUVWXYZ
abcdefghijklmnopqrstuvwxyz1234567890

136 Linden Hill — 1Byte

作者 ▸ The League of Moveable Type　URL ▸ https://www.theleagueofmoveabletype.com/

商用利用：OK

OpenType

ABCDEFGHIJKLMN
OPQRSTUVWXYZ
abcdefghijklmnopqrstuvwxyz1234567890

137 OFL Sorts Mill Goudy — 1Byte

作者 ▸ The League of Moveable Type　URL ▸ https://www.theleagueofmoveabletype.com/

商用利用：OK

OpenType

ABCDEFGHIJKLMN
OPQRSTUVWXYZ
abcdefghijklmnopqrstuvwxyz1234567890

138 Prociono　1Byte

作者▸ The League of Moveable Type　URL▸ https://www.theleagueofmoveabletype.com/

商用利用：OK

WinTT　MacTT　OpenType　MacPS

139 Akura Popo　1Byte

作者▸ Twicolabs Design　URL▸ http://twicolabs.com/

商用利用：OK

WinTT　MacTT　OpenType　MacPS

140 Nurjan　1Byte

作者▸ Twicolabs Design　URL▸ http://twicolabs.com/

商用利用：OK

WinTT　MacTT　OpenType　MacPS

141 Chuck Noon　1Byte

作者▸ Twicolabs Design　URL▸ http://twicolabs.com/

商用利用：NG

WinTT　MacTT　OpenType　MacPS

142 Dollar Bill　1Byte

作者▸ Twicolabs Design　URL▸ http://twicolabs.com/

商用利用：NG

WinTT　MacTT　OpenType　MacPS

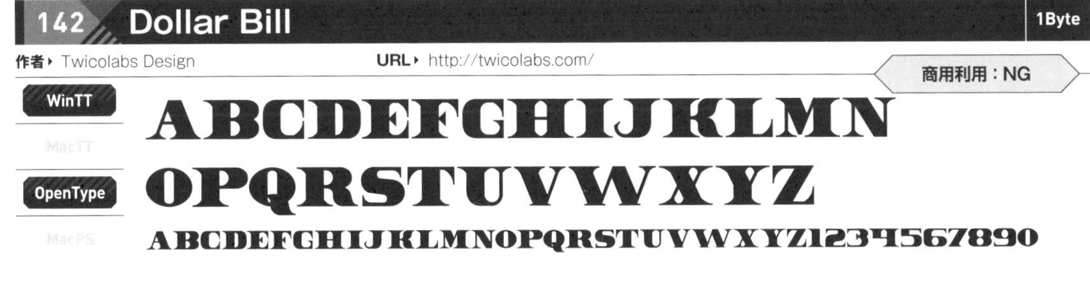

143 Facile Sans　1Byte

作者▸ Twicolabs Design　URL▸ http://twicolabs.com/

商用利用：OK

WinTT　MacTT　OpenType　MacPS

144 Nurjan Free
1Byte

作者▸ Twicolabs Design　URL▸ http://twicolabs.com/

商用利用：OK

WinTT　MacTT　OpenType　MacPS

ABCDEFGHIJKLMN
OPQRSTUVWXYZ
ABCDEFGHIJKLMNOPQRSTUVWXYZ1234567890

145 Blackout
1Byte

作者▸ Tyler Finck　URL▸ http://www.tylerfinck.com/

商用利用：OK

WinTT　MacTT　OpenType　MacPS

ABCDEFGHIJKLMN
OPQRSTUVWXYZ
ABCDEFGHIJKLMNOPQRSTUVWXYZ1234567890

146 Antic
1Byte

作者▸ Typemade　URL▸ http://typemade.mx/

商用利用：OK

WinTT　MacTT　OpenType　MacPS

ABCDEFGHIJKLMN
OPQRSTUVWXYZ
abcdefghijklmnopqrstuvwxyz1234567890

147 Antic Didone
1Byte

作者▸ Typemade　URL▸ http://typemade.mx/

商用利用：OK

WinTT　MacTT　OpenType　MacPS

ABCDEFGHIJKLMN
OPQRSTUVWXYZ
abcdefghijklmnopqrstuvwxyz1234567890

148 Dorsa
1Byte

作者▸ Typemade　URL▸ http://typemade.mx/

商用利用：OK

WinTT　MacTT　OpenType　MacPS

ABCDEFGHIJKLMN
OPQRSTUVWXYZ
abcdefghijklmnopqrstuvwxyz1234567890

149 Josefin Sans
1Byte

作者▸ Typemade　URL▸ http://typemade.mx/

商用利用：OK

WinTT　MacTT　OpenType　MacPS

ABCDEFGHIJKLMN
OPQRSTUVWXYZ
abcdefghijklmnopqrstuvwxyz1234567890

150 Antonio
1Byte

作者▸ Vernon Adams　URL▸ https://www.behance.net/vernonadams

商用利用：OK

WinTT / MacTT / OpenType / MacPS

ABCDEFGHIJKLMN
OPQRSTUVWXYZ
abcdefghijklmnopqrstuvwxyz1234567890

151 Bevan
1Byte

作者▸ Vernon Adams　URL▸ https://www.behance.net/vernonadams

商用利用：OK

WinTT / MacTT / OpenType / MacPS

ABCDEFGHIJKLMN
OPQRSTUVWXYZ
abcdefghijklmnopqrstuvwxyz1234567890

152 Cutive
1Byte

作者▸ Vernon Adams　URL▸ https://www.behance.net/vernonadams

商用利用：OK

WinTT / MacTT / OpenType / MacPS

ABCDEFGHIJKLMN
OPQRSTUVWXYZ
abcdefghijklmnopqrstuvwxyz1234567890

153 Damion
1Byte

作者▸ Vernon Adams　URL▸ https://www.behance.net/vernonadams

商用利用：OK

WinTT / MacTT / OpenType / MacPS

ABCDEFGHIJKLMN
OPQRSTUVWXYZ
abcdefghijklmnopqrstuvwxyz1234567890

154 Francois One
1Byte

作者▸ Vernon Adams　URL▸ https://www.behance.net/vernonadams

商用利用：OK

WinTT / MacTT / OpenType / MacPS

ABCDEFGHIJKLMN
OPQRSTUVWXYZ
abcdefghijklmnopqrstuvwxyz1234567890

155 Kameron
1Byte

作者▸ Vernon Adams　URL▸ https://www.behance.net/vernonadams

商用利用：OK

WinTT / MacTT / OpenType / MacPS

ABCDEFGHIJKLMN
OPQRSTUVWXYZ
abcdefghijklmnopqrstuvwxyz1234567890

156 Niconne
1Byte
作者▸ Vernon Adams
URL▸ https://www.behance.net/vernonadams
商用利用：OK
WinTT
MacTT
OpenType
MacPS
ABCDEFGHIJKLMN
OPQRSTUVWXYZ
abcdefghijklmnopqrstuvwxyz1234567890
157 Nobile
1Byte
作者▸ Vernon Adams
URL▸ https://www.behance.net/vernonadams
商用利用：OK
WinTT
MacTT
OpenType
MacPS
ABCDEFGHIJKLMN
OPQRSTUVWXYZ
abcdefghijklmnopqrstuvwxyz1234567890
158 Norican
1Byte
作者▸ Vernon Adams
URL▸ https://www.behance.net/vernonadams
商用利用：OK
WinTT
MacTT
OpenType
MacPS
ABCDEFGHIJKLMN
OPQRSTUVWXYZ
abcdefghijklmnopqrstuvwxyz1234567890
159 Nunito
1Byte
作者▸ Vernon Adams
URL▸ https://www.behance.net/vernonadams
商用利用：OK
WinTT
MacTT
OpenType
MacPS
ABCDEFGHIJKLMN
OPQRSTUVWXYZ
abcdefghijklmnopqrstuvwxyz1234567890
160 Oswald
1Byte
作者▸ Vernon Adams
URL▸ https://www.behance.net/vernonadams
商用利用：OK
WinTT
MacTT
OpenType
MacPS
ABCDEFGHIJKLMN
OPQRSTUVWXYZ
abcdefghijklmnopqrstuvwxyz1234567890
161 Pontano Sans
1Byte
作者▸ Vernon Adams
URL▸ https://www.behance.net/vernonadams
商用利用：OK
WinTT
MacTT
OpenType
MacPS
ABCDEFGHIJKLMN
OPQRSTUVWXYZ
abcdefghijklmnopqrstuvwxyz1234567890

162 Rokkitt

1Byte

作者▸ Vernon Adams　URL▸ https://www.behance.net/vernonadams

商用利用：OK

WinTT / MacTT / OpenType / MacPS

ABCDEFGHIJKLMN
OPQRSTUVWXYZ
abcdefghijklmnopqrstuvwxyz1234567890

163 Shanti

1Byte

作者▸ Vernon Adams　URL▸ https://www.behance.net/vernonadams

商用利用：OK

WinTT / MacTT / OpenType / MacPS

ABCDEFGHIJKLMN
OPQRSTUVWXYZ
abcdefghijklmnopqrstuvwxyz1234567890

164 Smythe

1Byte

作者▸ Vernon Adams　URL▸ https://www.behance.net/vernonadams

商用利用：OK

WinTT / MacTT / OpenType / MacPS

ABCDEFGHIJKLMN
OPQRSTUVWXYZ
abcdefghijklmnopqrstuvwxyz1234567890

165 Tienne

1Byte

作者▸ Vernon Adams　URL▸ https://www.behance.net/vernonadams

商用利用：OK

WinTT / MacTT / OpenType / MacPS

ABCDEFGHIJKLMN
OPQRSTUVWXYZ
abcdefghijklmnopqrstuvwxyz1234567890

166 Trocchi

1Byte

作者▸ Vernon Adams　URL▸ https://www.behance.net/vernonadams

商用利用：OK

WinTT / MacTT / OpenType / MacPS

ABCDEFGHIJKLMN
OPQRSTUVWXYZ
abcdefghijklmnopqrstuvwxyz1234567890

167 Chain Reaction Outline

1Byte

作者▸ きゃきらん　URL▸ http://bakafonts.kyakirun.com

商用利用：OK

WinTT / MacTT / OpenType / MacPS

ABCDEFGHIJKLMN
OPQRSTUVWXYZ
abcdefghijklmnopqrstuvwxyz1234567890

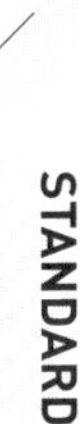

168 WASABI-GUM

1Byte

作者 ▸ Gomarice Font　URL ▸ http://gomaricefont.web.fc2.com

商用利用：OK

WinTT / MacTT / OpenType / MacPS

ABCDEFGHIJKLMN
OPQRSTUVWXYZ
ABCDEFGHIJKLMNOPQRSTUVWXYZ1234567890

169 Kamone 2

1Byte

作者 ▸ Gomarice Font　URL ▸ http://gomaricefont.web.fc2.com

商用利用：OK

WinTT / MacTT / OpenType / MacPS

ABCDEFGHIJKLMN
OPQRSTUVWXYZ
abcdefghijklmnopqrstuvwxyz1234567890

170 NANIKANO CAPSULE

1Byte

作者 ▸ Gomarice Font　URL ▸ http://gomaricefont.web.fc2.com

商用利用：OK

WinTT / MacTT / OpenType / MacPS

ABCDEFGHIJKLMN
OPQRSTUVWXYZ
ABCDEFGHIJKLMNOPQRSTUVWXYZ1234567890

171 THE PAST

1Byte

作者 ▸ Gomarice Font　URL ▸ http://gomaricefont.web.fc2.com

商用利用：OK

WinTT / MacTT / OpenType / MacPS

ABCDEFGHIJKLMN
OPQRSTUVWXYZ
ABCDEFGHIJKLMNOPQRSTUVWXYZ1234567890

172 ATAMA SIMPLE

1Byte

作者 ▸ Gomarice Font　URL ▸ http://gomaricefont.web.fc2.com

商用利用：OK

WinTT / MacTT / OpenType / MacPS

ABCDEFGHIJKLMN
OPQRSTUVWXYZ
ABCDEFGHIJKLMNOPQRSTUVWXYZ1234567890

173 Fine Serif Hosomozi

1Byte

作者 ▸ Gomarice Font　URL ▸ http://gomaricefont.web.fc2.com

商用利用：OK

WinTT / MacTT / OpenType / MacPS

ABCDEFGHIJKLMN
OPQRSTUVWXYZ
abcdefghijklmnopqrstuvwxyz1234567890

174 Sandome

1Byte

作者▸ Gomarice Font　URL▸ http://gomaricefont.web.fc2.com

商用利用：OK

WinTT

ABCDEFGHIJKLMN
OPQRSTUVWXYZ
abcdefghijklmnopqrstuvwxyz1234567890

175 Hyouzi Display

1Byte

作者▸ Gomarice Font　URL▸ http://gomaricefont.web.fc2.com

商用利用：OK

WinTT

176 Route 159

1Byte

作者▸ Sora Sagano　URL▸ https://dotcolon.net/

商用利用：OK

OpenType

177 Aileron

1Byte

作者▸ Sora Sagano　URL▸ https://dotcolon.net/

商用利用：OK

OpenType

ABCDEFGHIJKLMN
OPQRSTUVWXYZ
abcdefghijklmnopqrstuvwxyz1234567890

178 Seshat

1Byte

作者▸ Sora Sagano　URL▸ https://dotcolon.net/

商用利用：OK

OpenType

179 Penna

1Byte

作者▸ Sora Sagano　URL▸ https://dotcolon.net/

商用利用：OK

OpenType

180 Medio
1Byte
作者 Sora Sagano
URL https://dotcolon.net/
商用利用：OK
WinTT
MacTT
OpenType
MacPS
ABCDEFGHIJKLMN
OPQRSTUVWXYZ
abcdefghijklmnopqrstuvwxyz1234567890
181 Tenderness
1Byte
作者 Sora Sagano
URL https://dotcolon.net/
商用利用：OK
WinTT
MacTT
OpenType
MacPS
ABCDEFGHIJKLMN
OPQRSTUVWXYZ
abcdefghijklmnopqrstuvwxyz1234567890
182 Vegur
1Byte
作者 Sora Sagano
URL https://dotcolon.net/
商用利用：OK
WinTT
MacTT
OpenType
MacPS
ABCDEFGHIJKLMN
OPQRSTUVWXYZ
abcdefghijklmnopqrstuvwxyz1234567890
183 Abhaya Libre
1Byte
作者 Mooniak
URL https://fonts.google.com/specimen/Abhaya+Libre
商用利用：OK
WinTT
MacTT
OpenType
MacPS
ABCDEFGHIJKLMN
OPQRSTUVWXYZ
abcdefghijklmnopqrstuvwxyz1234567890
184 Alfa Slab
1Byte
作者 JM Solé
URL
商用利用：OK
WinTT
MacTT
OpenType
MacPS
ABCDEFGHIJKLMN
OPQRSTUVWXYZ
abcdefghijklmnopqrstuvwxyz1234567890
185 Noticia Text
1Byte
作者 JM Solé
URL
商用利用：OK
WinTT
MacTT
OpenType
MacPS
ABCDEFGHIJKLMN
OPQRSTUVWXYZ
abcdefghijklmnopqrstuvwxyz1234567890

クール

COOL

スタイリッシュでカッコ良いデザインのフォント

186 !Crass Roots OFL

1Byte

作者 ▸ !Exclamachine Type Foundry　URL ▸

商用利用：OK

WinTT / MacTT / OpenType / MacPS

ABCDEFGHIJKLMN
OPQRSTUVWXYZ
abcdefghijklmnopqrstuvwxyz1234567890

187 Attentica 4F

1Byte

作者 ▸ 4th february　URL ▸ http://fonts.4thfebruary.com.ua/

商用利用：OK

WinTT / MacTT / OpenType / MacPS

ABCDEFGHIJKLMN
OPQRSTUVWXYZ
ABCDEFGHIJKLMNOPQRSTUVWXYZ1234567890

188 Serifiqo 4F

1Byte

作者 ▸ 4th february　URL ▸ http://fonts.4thfebruary.com.ua/

商用利用：OK

WinTT / MacTT / OpenType / MacPS

ABCDEFGHIJKLMN
OPQRSTUVWXYZ
ABCDEFGHIJKLMNOPQRSTUVWXYZI II III IV V VI VII VIII IX O

189 Web Serveroff

1Byte

作者 ▸ 4th february　URL ▸ http://fonts.4thfebruary.com.ua/

商用利用：OK

WinTT / MacTT / OpenType / MacPS

ABCDEFGHIJKLMN
OPQRSTUVWXYZ
abcdefghijklmnopqrstuvwxyz1234567890

190 Adolphus

1Byte

作者 ▸ Locomotype　URL ▸ http://locomotype.com/

商用利用：OK

WinTT / MacTT / OpenType / MacPS

ABCDEFGHIJKLMN
OPQRSTUVWXYZ
abcdefghijklmnopqrstuvwxyz 1234567890

191 Belepotan
1Byte

作者 ▸ ArtOne CreativeWorks　URL ▸ http://artonedigital.com/

商用利用：OK

WinTT
MacTT
OpenType
MacPS

ABCDEFGHIJKLMN
OPQRSTUVWXYZ
ABCDEFGHIJKLMNOPQRSTUVWXYZ1234567890

192 Baron Kuffner
1Byte

作者 ▸ Bumbayo Font Fabrik　URL ▸ http://bumbayo.blogspot.com/

商用利用：OK

WinTT
MacTT
OpenType
MacPS

ABCDEFGHIJKLMN
OPQRSTUVWXYZ
ABCDEFGHIJKLMNOPQRSTUVWXYZ1234567890

193 Deutschische
1Byte

作者 ▸ Bumbayo Font Fabrik　URL ▸ http://bumbayo.blogspot.com/

商用利用：OK

WinTT
MacTT
OpenType
MacPS

ABCDEFGHIJKLMN
OPQRSTUVWXYZ
abcdefghijklmnopqrstuvwxyz1234567890

194 Eordeoghlakat
1Byte

作者 ▸ Bumbayo Font Fabrik　URL ▸ http://bumbayo.blogspot.com/

商用利用：OK

WinTT
MacTT
OpenType
MacPS

ABCDEFGHIJKLMN
OPQRSTUVWXYZ
ABCDEFGHIJKLMNOPQRSTUVWXYZ1234567890

195 Gipsiero
1Byte

作者 ▸ Bumbayo Font Fabrik　URL ▸ http://bumbayo.blogspot.com/

商用利用：OK

WinTT
MacTT
OpenType
MacPS

ABCDEFGHIJKLMN
OPQRSTUVWXYZ
ABCDEFGHIJKLMNOPQRSTUVWXYZ1234567890

196 Schkorycza
1Byte

作者 ▸ Bumbayo Font Fabrik　URL ▸ http://bumbayo.blogspot.com/

商用利用：OK

WinTT
MacTT
OpenType
MacPS

ABCDEFGHIJKLMN
OPQRSTUVWXYZ
ABCDEFGHIJKLMNOPQRSTUVWXYZ1234567890

197 It wasn't me
1Byte
作者▸ Cheapskate Fonts
URL▸
商用利用：OK
WinTT
MacTT
OpenType
MacPS
198 a Theme for murder
1Byte
作者▸ Chris Hansen
URL▸
商用利用：OK
WinTT
MacTT
OpenType
MacPS
199 Carnivalee Freakshow
1Byte
作者▸ Chris Hansen
URL▸
商用利用：OK
WinTT
MacTT
OpenType
MacPS
ABCDEFGHIJKLMN
OPQRSTUVWXYZ
ABCDEFGHIJKLMNOPQRSTUVWXYZ1234567890
200 Pure evil 2
1Byte
作者▸ Chris Hansen
URL▸
商用利用：OK
WinTT
MacTT
OpenType
MacPS
201 Requiem
1Byte
作者▸ Chris Hansen
URL▸
商用利用：OK
WinTT
MacTT
OpenType
MacPS
ABCDEFGHIJKLMN
OPQRSTUVWXYZ
ABCDEFGHIJKLMNOPQRSTUVWXYZ1234567890
202 Sell Your Soul
1Byte
作者▸ Chris Hansen
URL▸
商用利用：OK
WinTT
MacTT
OpenType
MacPS
ABCDEFGHIJKLMN
OPQRSTUVWXYZ
ABCDEFGHIJKLMNOPQRSTUVWXYZ
STANDARD
COOL
POP
DESIGN

203 Safety

1Byte

作者 ▸ Christoph Thürsam　URL ▸

商用利用：OK

WinTT / MacTT / OpenType / MacPS

204 Chopin Script

1Byte

作者 ▸ ClaudeP　URL ▸

商用利用：OK

WinTT / MacTT / OpenType / MacPS

205 Monteiro Lobato

1Byte

作者 ▸ Daniel Werneck　URL ▸

商用利用：OK

WinTT / MacTT / OpenType / MacPS

206 Paper Cuts

1Byte

作者 ▸ Daniel Werneck　URL ▸

商用利用：OK

WinTT / MacTT / OpenType / MacPS

207 Psicopatologia de la Vida Cotidiana

1Byte

作者 ▸ Daniel Werneck　URL ▸

商用利用：OK

WinTT / MacTT / OpenType / MacPS

208 Crayonnette

1Byte

作者 ▸ Diogene　URL ▸

商用利用：OK

WinTT / MacTT / OpenType / MacPS

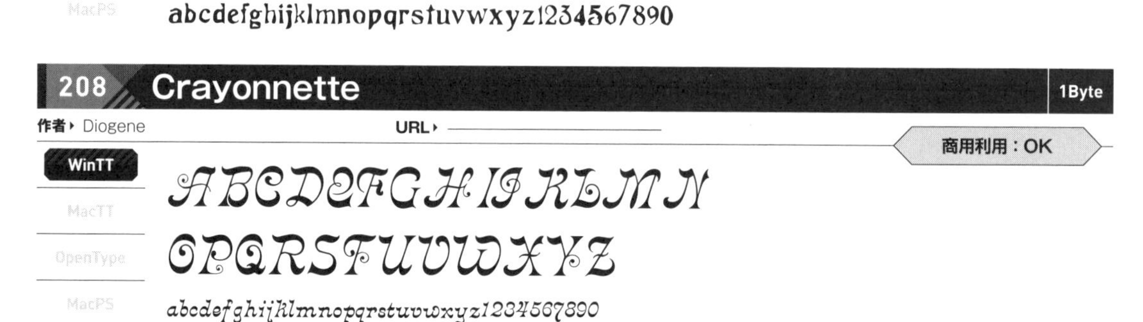

209 Black Chancery 1Byte
作者▸ Doug Miles URL▸
商用利用：OK
WinTT
210 Faroest 1Byte
作者▸ elo URL▸
商用利用：OK
OpenType
211 Victor 1Byte
作者▸ fumare URL▸
商用利用：OK
OpenType
212 Pasajero 1Byte
作者▸ FZ URL▸ http://fontmovie.blogspot.com
商用利用：NG
OpenType
213 Spectre 007 1Byte
作者▸ FZ URL▸ http://fontmovie.blogspot.com
商用利用：OK
OpenType
214 TRON 1Byte
作者▸ FZ URL▸ http://fontmovie.blogspot.com
商用利用：OK
WinTT
STANDARD
COOL
POP
DESIGN

215 FoglihtenNo01
1Byte

作者▸ gluk　URL▸ http://www.glukfonts.pl/

商用利用：OK

WinTT / MacTT / **OpenType** / MacPS

ABCDEFGHIJKLMN
OPQRSTUVWXYZ
ABCDEFGHIJKLMNOPQRSTUVWXYZ1234567890

216 FoglihtenNo06
1Byte

作者▸ gluk　URL▸ http://www.glukfonts.pl/

商用利用：OK

WinTT / MacTT / **OpenType** / MacPS

ABCDEFGHIJKLMN
OPQRSTUVWXYZ
aBCDeFGHIJKLmnOPQRSTUVWXYZ1234567890

217 Gputeks
1Byte

作者▸ gluk　URL▸ http://www.glukfonts.pl/

商用利用：OK

WinTT / MacTT / OpenType / MacPS

ABCDEFGHIJKLMN
OPQRSTUVWXYZ
abcdefghijklmnopqrstuvwxyz1234567890

218 Ketosag
1Byte

作者▸ gluk　URL▸ http://www.glukfonts.pl/

商用利用：OK

WinTT / MacTT / **OpenType** / MacPS

ABCDEFGHIJKLMN
OPQRSTUVWXYZ
abcdefghijklmnopqrstuvwxyz1234567890

219 Kleymissky
1Byte

作者▸ gluk　URL▸ http://www.glukfonts.pl/

商用利用：OK

WinTT / MacTT / **OpenType** / MacPS

ABCDEFGHIJKLMN
OPQRSTUVWXYZ
abcdefghijklmnopqrstuvwxyz1234567890

220 Nikodecs
1Byte

作者▸ gluk　URL▸ http://www.glukfonts.pl/

商用利用：OK

WinTT / MacTT / **OpenType** / MacPS

ABCDEFGHIJKLMN
OPQRSTUVWXYZ
abcdefghijklmnopqrstuvwxyz1234567890

221 Prida01 1Byte

作者▶ gluk　URL▶ http://www.glukfonts.pl/　商用利用：OK

WinTT / MacTT / **OpenType** / MacPS

222 Prida36 1Byte

作者▶ gluk　URL▶ http://www.glukfonts.pl/　商用利用：OK

WinTT / MacTT / **OpenType** / MacPS

223 Prida61 1Byte

作者▶ gluk　URL▶ http://www.glukfonts.pl/　商用利用：OK

WinTT / MacTT / **OpenType** / MacPS

224 Prida65 1Byte

作者▶ gluk　URL▶ http://www.glukfonts.pl/　商用利用：OK

WinTT / MacTT / **OpenType** / MacPS

225 Promocyja 1Byte

作者▶ gluk　URL▶ http://www.glukfonts.pl/　商用利用：OK

WinTT / MacTT / **OpenType** / MacPS

ABCDEFGHIJKLMN
OPQRSTUVWXYZ
abcdefghijklmnopqrstuvwxyz1234567890

226 Reswysokr 1Byte

作者▶ gluk　URL▶ http://www.glukfonts.pl/　商用利用：OK

WinTT / MacTT / **OpenType** / MacPS

227 Risaltyp
1Byte

作者 ▸ gluk　URL ▸ http://www.glukfonts.pl/　商用利用：OK

WinTT / MacTT / OpenType / MacPS

ABCDEFGHIJKLMN
OPQRSTUVWXYZ
abcdefghijklmnopqrstuvwxyz1234567890

228 Sortefax
1Byte

作者 ▸ gluk　URL ▸ http://www.glukfonts.pl/　商用利用：OK

WinTT / MacTT / OpenType / MacPS

ABCDEFGHIJKLMN
OPQRSTUVWXYZ
abcdefghijklmnopqrstuvwxyz1234567890

229 ZnikomitNo25
1Byte

作者 ▸ gluk　URL ▸ http://www.glukfonts.pl/　商用利用：OK

WinTT / MacTT / OpenType / MacPS

ABCDEFGHIJKLMN
OPQRSTUVWXYZ
abcdefghijklmnopqrstuvwxyz1234567890

230 Bangkit
1Byte

作者 ▸ Gunarta　URL ▸ http://www.naraaksara.com/　商用利用：NG

WinTT / MacTT / OpenType / MacPS

ABCDEFGHIJKLMN
OPQRSTUVWXYZ
ABCDEFGHIJKLMNOPQRSTUVWXYZ1234567890

231 Kobarapi
1Byte

作者 ▸ Gunarta　URL ▸ http://www.naraaksara.com/　商用利用：NG

WinTT / MacTT / OpenType / MacPS

ABCDEFGHIJKLMN
OPQRSTUVWXYZ
ABCDEFGHIJKLMNOPQRSTUVWXYZ1234567890

232 Prabowo
1Byte

作者 ▸ Gunarta　URL ▸ http://www.naraaksara.com/　商用利用：OK

WinTT / MacTT / OpenType / MacPS

ABCDEFGHIJKLMN
OPQRSTUVWXYZ
ABCDEFGHIJKLMNOPQRSTUVWXYZ1234567890

233 Architect
1Byte
作者 ▸ Hank Gillette
URL ▸
商用利用：OK
WinTT
MacTT
OpenType
MacPS
ABCDEFGHIJKLMN
OPQRSTUVWXYZ
abcdefghijklmnopqrstuvwxyz1234567890
234 Air Americana
1Byte
作者 ▸ IamTiago
URL ▸
商用利用：OK
WinTT
MacTT
OpenType
MacPS
ABCDEFGHIJKLMN
OPQRSTUVWXYZ
ABCDEFGHIJKLMNOPQRSTUVWXYZ1234567890
235 Vipond Angular
1Byte
作者 ▸ James Vipond
URL ▸
商用利用：OK
WinTT
MacTT
OpenType
MacPS
ABCDEFGHIJKLMN
OPQRSTUVWXYZ
abcdefghijklmnopqrstuvwxyz1234567890
236 BB Petie Boy
1Byte
作者 ▸ Jay Hilgert
URL ▸
商用利用：OK
WinTT
MacTT
OpenType
MacPS
ABCDEFGHIJKLMN
OPQRSTUVWXYZ
1234567890
237 Isabella
1Byte
作者 ▸ John Stracke
URL ▸ http://www.thibault.org/newhome/
商用利用：OK
WinTT
MacTT
OpenType
MacPS
ABCDEFGHIJKLMN
OPQRSTUVWXYZ
abcdefghijklmnopqrstuvwxyz1234567890
238 Cuprum
1Byte
作者 ▸ Jovanny Lemonad
URL ▸ http://www.jovanny.ru/
商用利用：OK
WinTT
MacTT
OpenType
MacPS
ABCDEFGHIJKLMN
OPQRSTUVWXYZ
abcdefghijklmnopqrstuvwxyz1234567890

239 Flow Ext

1Byte

作者 ▸ Jovanny Lemonad　URL ▸ http://www.jovanny.ru/

商用利用：OK

WinTT / MacTT / **OpenType** / MacPS

ABCDEFGHIJKLMN
OPQRSTUVWXYZ
abcdefghijklmnopqrstuvwxyz1234567890

240 Nixie One

1Byte

作者 ▸ Jovanny Lemonad　URL ▸ http://www.jovanny.ru/

商用利用：OK

WinTT / MacTT / OpenType / MacPS

ABCDEFGHIJKLMN
OPQRSTUVWXYZ
abcdefghijklmnopqrstuvwxyz1234567890

241 Prosto One

1Byte

作者 ▸ Jovanny Lemonad　URL ▸ http://www.jovanny.ru/

商用利用：OK

242 Supermolot Light

1Byte

作者 ▸ Jovanny Lemonad　URL ▸ http://www.jovanny.ru/

商用利用：OK

243 Bradley Gratis

1Byte

作者 ▸ Justin Callaghan　URL ▸ http://mickeyavenue.com/

商用利用：OK

244 Vegesignes

1Byte

作者 ▸ Laval Chabon　URL ▸ http://www.lavalchabon.com/

商用利用：OK

245 Feral
1Byte

作者▸ Marcus Lien Gundersen　URL▸ https://www.behance.net/marcusgundersen

商用利用：OK

WinTT / MacTT / OpenType / MacPS

246 floki
1Byte

作者▸ Marcus Lien Gundersen　URL▸ https://www.behance.net/marcusgundersen

商用利用：OK

WinTT / MacTT / OpenType / MacPS

247 FailyLand Extended
1Byte

作者▸ Mighty(Hiroki☆Inoue)　URL▸ http://www.geocities.jp/hiroki_mighty/

商用利用：要事前連絡

WinTT / MacTT / OpenType / MacPS

248 SEGA Extended
1Byte

作者▸ Mighty(Hiroki☆Inoue)　URL▸ http://www.geocities.jp/hiroki_mighty/

商用利用：要事前連絡

WinTT / MacTT / OpenType / MacPS

249 Khadija
1Byte

作者▸ Mikrojihad Restricted　URL▸

商用利用：OK

WinTT / MacTT / OpenType / MacPS

250 Ace Futurism
1Byte

作者▸ NAL　URL▸ http://nalgames.com/

商用利用：OK

WinTT / MacTT / OpenType / MacPS

251 Alt West
1Byte

作者 ▸ NAL　URL ▸ http://nalgames.com/

商用利用：OK

WinTT / MacTT / OpenType / MacPS

ABCDEFGHIJKLMN
OPQRSTUVWXYZ
abcdefghijklmnopqrstuvwxyz1234567890

252 Call Of Ops Duty
1Byte

作者 ▸ NAL　URL ▸ http://nalgames.com/

商用利用：OK

WinTT / MacTT / OpenType / MacPS

ABCDEFGHIJKLMN
OPQRSTUVWXYZ
ABCDEFGHIJKLMNOPQRSTUVWXYZ1234567890

253 Distortion Of The Brain And Mind
1Byte

作者 ▸ NAL　URL ▸ http://nalgames.com/

商用利用：OK

WinTT / MacTT / OpenType / MacPS

abcdefghijklmn
opqrstuvwxyz
abcdefghijklmnopqrstuvwxyz1234567890

254 Future TimeSplitters
1Byte

作者 ▸ NAL　URL ▸ http://nalgames.com/

商用利用：OK

WinTT / MacTT / OpenType / MacPS

ABCDEFGHIJKLMN
OPQRSTUVWXYZ
ABCDEFGHIJKLMNOPQRSTUVWXYZ1234567890

255 Gang Wolfik
1Byte

作者 ▸ NAL　URL ▸ http://nalgames.com/

商用利用：OK

WinTT / MacTT / OpenType / MacPS

ABCDEFGHIJKLMN
OPQRSTUVWXYZ
ABCDEFGHIJKLMNOPQRSTUVWXYZ1234567890

256 Here Be Dubstep
1Byte

作者 ▸ NAL　URL ▸ http://nalgames.com/

商用利用：OK

WinTT / MacTT / OpenType / MacPS

ABCDEFGHIJKLMN
OPQRSTUVWXYZ
abcdefghijklmnopqrstuvwxyz1234567890

257 Kinglify

1Byte

作者▸ NAL　URL▸ http://nalgames.com/　商用利用：OK

258 Opulent Fiend

1Byte

作者▸ NAL　URL▸ http://nalgames.com/　商用利用：OK

259 Rawhide Raw 2012

1Byte

作者▸ NAL　URL▸ http://nalgames.com/　商用利用：OK

260 Spinebiting

1Byte

作者▸ NAL　URL▸ http://nalgames.com/　商用利用：OK

261 Triggering Fanfares

1Byte

作者▸ NAL　URL▸ http://nalgames.com/　商用利用：OK

262 Wolfganger

1Byte

作者▸ NAL　URL▸ http://nalgames.com/　商用利用：OK

263 Xero's Theorem

1Byte

作者 ▸ NAL　URL ▸ http://nalgames.com/

商用利用：NG

WinTT / MacTT / OpenType / MacPS

264 Linesquare Rounded Extended

1Byte

作者 ▸ Nik Coughlin　URL ▸ ―

商用利用：OK

WinTT / MacTT / OpenType / MacPS

265 Breve SC

1Byte

作者 ▸ NimaVisual　URL ▸ http://nimavisual.tumblr.com/

商用利用：OK

WinTT / MacTT / OpenType / MacPS

266 moonhouse

1Byte

作者 ▸ NimaVisual　URL ▸ http://nimavisual.tumblr.com/

商用利用：OK

WinTT / MacTT / OpenType / MacPS

267 Quango

1Byte

作者 ▸ NimaVisual　URL ▸ http://nimavisual.tumblr.com/

商用利用：OK

WinTT / MacTT / OpenType / MacPS

268 TimeBurner

1Byte

作者 ▸ NimaVisual　URL ▸ http://nimavisual.tumblr.com/

商用利用：OK

WinTT / MacTT / OpenType / MacPS

269 Trench

1Byte

作者▸ NimaVisual　URL▸ http://nimavisual.tumblr.com/　商用利用：OK

WinTT / OpenType

ABCDEFGHIJKLMN
OPQRSTUVWXYZ
abcdefghijklmnopqrstuvwxyz1234567890

270 California

1Byte

作者▸ Noe Araujo　URL▸ http://noearaujo.com/　商用利用：OK

WinTT

ABCDEFGHIJKLMN
OPQRSTUVWXYZ
abcdefghijklmnopqrstuvwxyz1234567890

271 Raw

1Byte

作者▸ Noe Araujo　URL▸ http://noearaujo.com/　商用利用：OK

WinTT

ABCDEFGHIJKLMN
OPQRSTUVWXYZ
ABCDEFGHIJKLMNOPQRSTUVWXYZ1234567890

272 PWManuelfree

1Byte

作者▸ Peax Webdesign　URL▸ http://www.peax-webdesign.com/　商用利用：OK

WinTT

ABCDEFGHIJKLMN
OPQRSTUVWXYZ
abcdefghijklmnopqrstuvwxyz1234567890

273 PWSerifScratch

1Byte

作者▸ Peax Webdesign　URL▸ http://www.peax-webdesign.com/　商用利用：OK

WinTT

ABCDEFGHIJKLMN
OPQRSTUVWXYZ
ABCDEFGHIJKLMNOPQRSTUVWXYZ1234567890

274 Sundayscript

1Byte

作者▸ Peax Webdesign　URL▸ http://www.peax-webdesign.com/　商用利用：OK

WinTT

ABCDEFGHIJKLMN
OPQRSTUVWXYZ
abcdefghijklmnopqrstuvwxyz1234567890

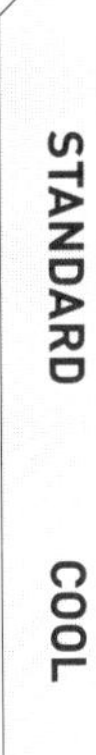

275 Astrud

1Byte

作者 ▸ Peter Wiegel　URL ▸ http://www.peter-wiegel.de/

商用利用：OK

WinTT
MacTT
OpenType
MacPS

ABCDEFGHIJKLMN
OPQRSTUVWXYZ
abcdefghijklmnopqrstuvwxyz1234567890

276 Berlin Email

1Byte

作者 ▸ Peter Wiegel　URL ▸ http://www.peter-wiegel.de/

商用利用：OK

WinTT
MacTT
OpenType
MacPS

ABCDEFGHIJKLMN
OPQRSTUVWXYZ
abcdefghijklmnopqrstuvwxyz1234567890

277 Bernardo Moda

1Byte

作者 ▸ Peter Wiegel　URL ▸ http://www.peter-wiegel.de/

商用利用：OK

WinTT
MacTT
OpenType
MacPS

ABCDEFGHIJKLMN
OPQRSTUVWXYZ
abcdefghijklmnopqrstuvwxyz1234567890

278 Beta54

1Byte

作者 ▸ Peter Wiegel　URL ▸ http://www.peter-wiegel.de/

商用利用：OK

WinTT
MacTT
OpenType
MacPS

ABCDEFGHIJKLMN
OPQRSTUVWXYZ
abcdefghijklmnopqrstuvwxyz1234567890

279 Biedermeier Kursiv

1Byte

作者 ▸ Peter Wiegel　URL ▸ http://www.peter-wiegel.de/

商用利用：OK

WinTT
MacTT
OpenType
MacPS

ABCDEFGHIJKLMN
OPQRSTUVWXYZ
abcdefghijklmnopqrstuvwxyz1234567890

280 Boecklins Universe

1Byte

作者 ▸ Peter Wiegel　URL ▸ http://www.peter-wiegel.de/

商用利用：OK

WinTT
MacTT
OpenType
MacPS

ABCDEFGHIJKLMN
OPQRSTUVWXYZ
abcdefghijklmnopqrstuvwxyz1234567890

281 Brausepulver
1Byte

作者 ▸ Peter Wiegel　URL ▸ http://www.peter-wiegel.de/

商用利用：OK

WinTT / MacTT / OpenType / MacPS

282 Casa Sans
1Byte

作者 ▸ Peter Wiegel　URL ▸ http://www.peter-wiegel.de/

商用利用：OK

WinTT / MacTT / OpenType / MacPS

283 CAT Hohenzollern
1Byte

作者 ▸ Peter Wiegel　URL ▸ http://www.peter-wiegel.de/

商用利用：OK

WinTT / MacTT / OpenType / MacPS

284 Coggers Tariqa
1Byte

作者 ▸ Peter Wiegel　URL ▸ http://www.peter-wiegel.de/

商用利用：OK

WinTT / MacTT / OpenType / MacPS

285 Eirik Raude
1Byte

作者 ▸ Peter Wiegel　URL ▸ http://www.peter-wiegel.de/

商用利用：OK

WinTT / MacTT / OpenType / MacPS

286 Elb-Tunnel
1Byte

作者 ▸ Peter Wiegel　URL ▸ http://www.peter-wiegel.de/

商用利用：OK

WinTT / MacTT / OpenType / MacPS

287 Fabrik

1Byte

作者 ▸ Peter Wiegel　URL ▸ http://www.peter-wiegel.de/

商用利用：OK

WinTT / MacTT / OpenType / MacPS

288 Hardman

1Byte

作者 ▸ Peter Wiegel　URL ▸ http://www.peter-wiegel.de/

商用利用：OK

WinTT / MacTT / OpenType / MacPS

289 kaufhalle

1Byte

作者 ▸ Peter Wiegel　URL ▸ http://www.peter-wiegel.de/

商用利用：OK

WinTT / MacTT / OpenType / MacPS

290 Maas Slicer

1Byte

作者 ▸ Peter Wiegel　URL ▸ http://www.peter-wiegel.de/

商用利用：OK

WinTT / MacTT / OpenType / MacPS

291 Men Nefer

1Byte

作者 ▸ Peter Wiegel　URL ▸ http://www.peter-wiegel.de/

商用利用：OK

WinTT / MacTT / OpenType / MacPS

292 Meyne Textur

1Byte

作者 ▸ Peter Wiegel　URL ▸ http://www.peter-wiegel.de/

商用利用：OK

WinTT / MacTT / OpenType / MacPS

293 MMX2010 1Byte

作者 ▸ Peter Wiegel　URL ▸ http://www.peter-wiegel.de/

商用利用：OK

WinTT / MacTT / OpenType / MacPS

ABCDEFGHIJKLMN
OPQRSTUVWXYZ
ABCDEFGHIJKLMNOPQRSTUVWXYZ1234567890

294 Mutter 1Byte

作者 ▸ Peter Wiegel　URL ▸ http://www.peter-wiegel.de/

商用利用：OK

295 Quimbie 1Byte

作者 ▸ Peter Wiegel　URL ▸ http://www.peter-wiegel.de/

商用利用：OK

296 Rumburak 1Byte

作者 ▸ Peter Wiegel　URL ▸ http://www.peter-wiegel.de/

商用利用：OK

297 Schwaben Alt 1Byte

作者 ▸ Peter Wiegel　URL ▸ http://www.peter-wiegel.de/

商用利用：OK

298 TGL 31034 1Byte

作者 ▸ Peter Wiegel　URL ▸ http://www.peter-wiegel.de/

商用利用：OK

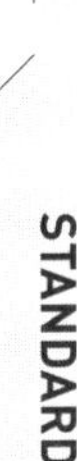

299 Utusi Star
1Byte

作者 ▸ Peter Wiegel　URL ▸ http://www.peter-wiegel.de/

商用利用：OK

WinTT / MacTT / OpenType / MacPS

ABCDEFGHIJKLMN
OPQRSTUVWXYZ
ABCDEFGHIJKLMNOPQRSTUVWXYZ

300 Waschkueche
1Byte

作者 ▸ Peter Wiegel　URL ▸ http://www.peter-wiegel.de/

商用利用：OK

WinTT / MacTT / OpenType / MacPS

ABCDEFGHIJKLMN
OPQRSTUVWXYZ
abcdefghijklmnopqrstuvwxyz1234567890

301 Wolgast Two
1Byte

作者 ▸ Peter Wiegel　URL ▸ http://www.peter-wiegel.de/

商用利用：OK

WinTT / MacTT / OpenType / MacPS

ABCDEFGHIJKLMN
OPQRSTUVWXYZ
abcdefghijklmnopqrstuvwxyz1234567890

302 Quikhand
1Byte

作者 ▸ Qwerks　URL ▸ http://graphicriver.net/user/joiaco

商用利用：OK

WinTT / MacTT / OpenType / MacPS

ABCDEFGHIJKLMN
OPQRSTUVWXYZ
abcdefghijklmnopqrstuvwxyz1234567890

303 Breamcatcher
1Byte

作者 ▸ Raymond Larabie　URL ▸ http://typodermicfonts.com/

商用利用：OK

WinTT / MacTT / OpenType / MacPS

ABCDEFGHIJKLMN
OPQRSTUVWXYZ
ABCDEFGHIJKLMNOPQRSTUVWXYZ1234567890

304 Kilsonburg
1Byte

作者 ▸ Raymond Larabie　URL ▸ http://typodermicfonts.com/

商用利用：OK

WinTT / MacTT / OpenType / MacPS

ABCDEFGHIJKLMN
OPQRSTUVWXYZ
ABCDEFGHIJKLMNOPQRSTUVWXYZ1234567890

305 Larabiefont

1Byte

作者▸ Raymond Larabie　URL▸ http://typodermicfonts.com/

商用利用：OK

WinTT　MacTT　OpenType　MacPS

306 Nasalization

1Byte

作者▸ Raymond Larabie　URL▸ http://typodermicfonts.com/

商用利用：OK

WinTT　MacTT　OpenType　MacPS

307 Neuropol X

1Byte

作者▸ Raymond Larabie　URL▸ http://typodermicfonts.com/

商用利用：OK

WinTT　MacTT　OpenType　MacPS

308 Nulshock

1Byte

作者▸ Raymond Larabie　URL▸ http://typodermicfonts.com/

商用利用：OK

WinTT　MacTT　OpenType　MacPS

309 Pretender

1Byte

作者▸ Raymond Larabie　URL▸ http://typodermicfonts.com/

商用利用：OK

WinTT　MacTT　OpenType　MacPS

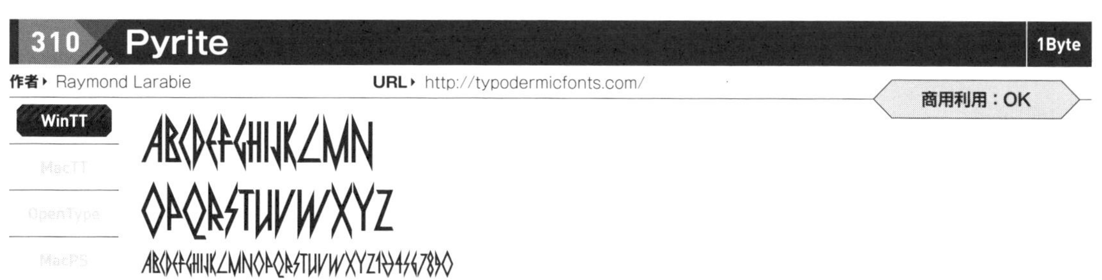

310 Pyrite

1Byte

作者▸ Raymond Larabie　URL▸ http://typodermicfonts.com/

商用利用：OK

WinTT　MacTT　OpenType　MacPS

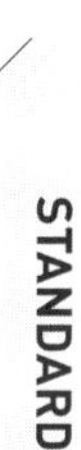

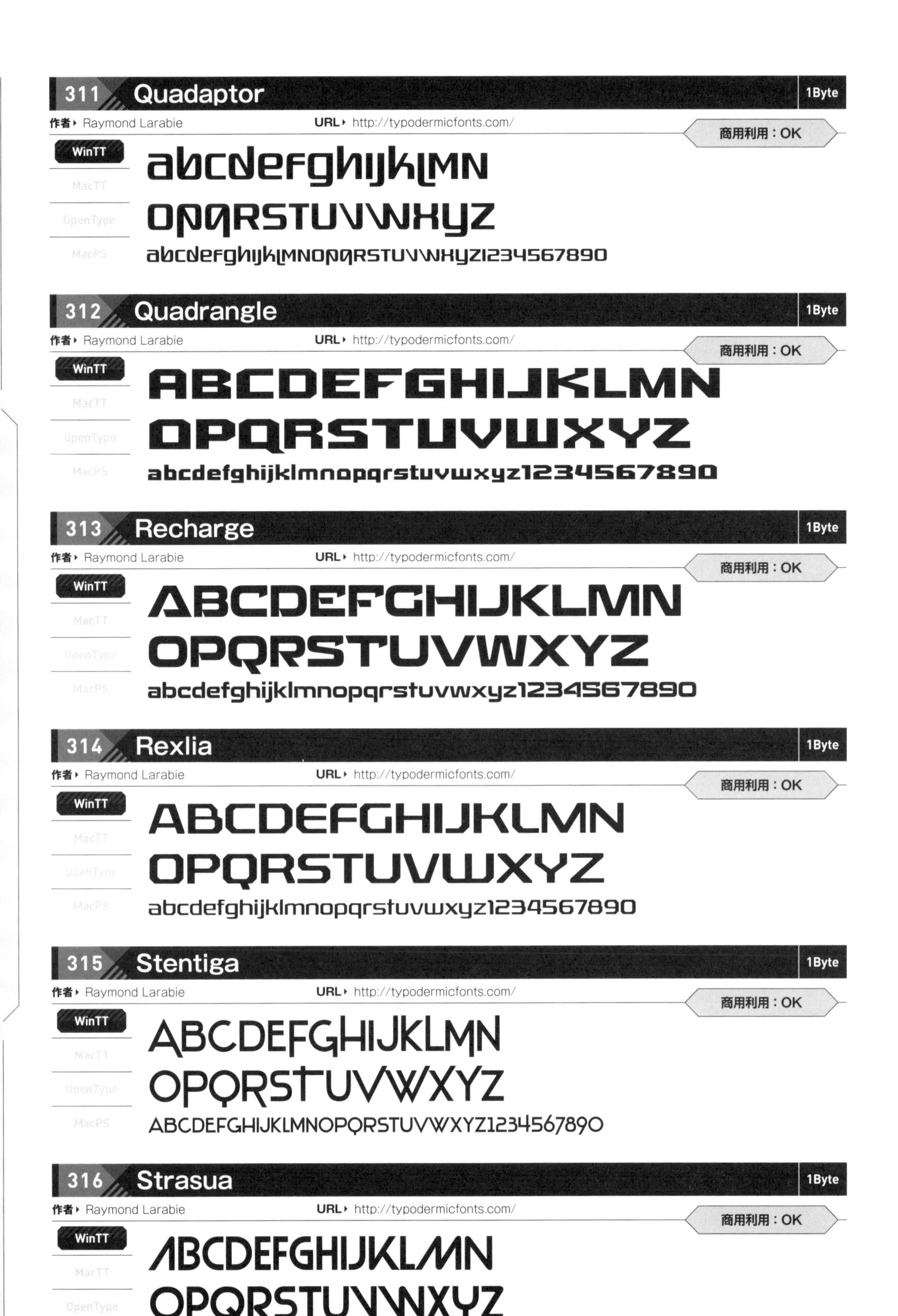

311 Quadaptor
1Byte

作者 ▸ Raymond Larabie　URL ▸ http://typodermicfonts.com/

商用利用：OK

WinTT / MacTT / OpenType / MacPS

abcdefghijklmn
opqrstuvwxyz
abcdefghijklmnopqrstuvwxyz1234567890

312 Quadrangle
1Byte

作者 ▸ Raymond Larabie　URL ▸ http://typodermicfonts.com/

商用利用：OK

WinTT / MacTT / OpenType / MacPS

ABCDEFGHIJKLMN
OPQRSTUVWXYZ
abcdefghijklmnopqrstuvwxyz1234567890

313 Recharge
1Byte

作者 ▸ Raymond Larabie　URL ▸ http://typodermicfonts.com/

商用利用：OK

WinTT / MacTT / OpenType / MacPS

ABCDEFGHIJKLMN
OPQRSTUVWXYZ
abcdefghijklmnopqrstuvwxyz1234567890

314 Rexlia
1Byte

作者 ▸ Raymond Larabie　URL ▸ http://typodermicfonts.com/

商用利用：OK

WinTT / MacTT / OpenType / MacPS

ABCDEFGHIJKLMN
OPQRSTUVWXYZ
abcdefghijklmnopqrstuvwxyz1234567890

315 Stentiga
1Byte

作者 ▸ Raymond Larabie　URL ▸ http://typodermicfonts.com/

商用利用：OK

WinTT / MacTT / OpenType / MacPS

ABCDEFGHIJKLMN
OPQRSTUVWXYZ
ABCDEFGHIJKLMNOPQRSTUVWXYZ1234567890

316 Strasua
1Byte

作者 ▸ Raymond Larabie　URL ▸ http://typodermicfonts.com/

商用利用：OK

WinTT / MacTT / OpenType / MacPS

ABCDEFGHIJKLMN
OPQRSTUVWXYZ
ABCDEFGHIJKLMNOPQRSTUVWXYZ1234567890

317 Sui Generis
1Byte
作者▸ Raymond Larabie
URL▸ http://typodermicfonts.com/
商用利用：OK
WinTT
MacTT
OpenType
MacPS
ABCDEFGHIJKLMN
OPQRSTUVWXYZ
abcdefghijklmnopqrstuvwxyz1234567890
318 Wheaton
1Byte
作者▸ Raymond Larabie
URL▸ http://typodermicfonts.com/
商用利用：OK
WinTT
MacTT
OpenType
MacPS
ABCDEFGHIJKLMN
OPQRSTUVWXYZ
ABCDEFGHIJKLMNOPQRSTUVWXYZ1234567890
319 Zekton
1Byte
作者▸ Raymond Larabie
URL▸ http://typodermicfonts.com/
商用利用：OK
WinTT
MacTT
OpenType
MacPS
ABCDEFGHIJKLMN
OPQRSTUVWXYZ
abcdefghijklmnopqrstuvwxyz1234567890
320 Adagio
1Byte
作者▸ Reference Type Foundry
URL▸
商用利用：OK
WinTT
MacTT
OpenType
MacPS
ABCDEFGHIJKLMN
OPQRSTUVWXYZ
abcdefghijklmnopqrstuvwxyz1234567890
321 Aspire
1Byte
作者▸ Reference Type Foundry
URL▸
商用利用：OK
WinTT
MacTT
OpenType
MacPS
ABCDEFGHIJKLMN
OPQRSTUVWXYZ
abcdefghijklmnopqrstuvwxyz1234567890
322 Carolus
1Byte
作者▸ Roger White
URL▸
商用利用：OK
WinTT
MacTT
OpenType
MacPS
ABCDEFGHIJKLMN
OPQRSTUVWXYZ
ABCDEFGHIJKLMNOPQRSTUVWXYZ1234567890

323 Hanford Script 1Byte
作者 ▸ Roger White
URL ▸
商用利用：OK
WinTT
MacTT
OpenType
MacPS
ABCDEFGHIJKLMN
OPQRSTUVWXYZ
abcdefghijklmnopqrstuvwxyz1234567890
324 Loxley 1Byte
作者 ▸ Roger White
URL ▸
商用利用：OK
WinTT
MacTT
OpenType
MacPS
ABCDEFGHIJKLMN
OPQRSTUVWXYZ
abcdefghijklmnopqrstuvwxyz1234567890
325 Tiverton 1Byte
作者 ▸ Roger White
URL ▸
商用利用：OK
WinTT
MacTT
OpenType
MacPS
ABCDEFGHIJKLMN
OPQRSTUVWXYZ
ABCDEFGHIJKLMNOPQRSTUVWXYZ1234567890
326 Wrexham Script 1Byte
作者 ▸ Roger White
URL ▸
商用利用：OK
WinTT
MacTT
OpenType
MacPS
ABCDEFGHIJKLMN
OPQRSTUVWXYZ
abcdefghijklmnopqrstuvwxyz1234567890
327 Architext 1Byte
作者 ▸ S.G. Moye
URL ▸
商用利用：OK
WinTT
MacTT
OpenType
MacPS
ABCDEFGHIJKLMN
OPQRSTUVWXYZ
ABCDEFGHIJKLMNOPQRSTUVWXYZ1234567890
328 Misfortune 1Byte
作者 ▸ Scotty Ulrich
URL ▸
商用利用：OK
WinTT
MacTT
OpenType
MacPS
ABCDEFGHIJKLMN
OPQRSTUVWXYZ
abcdefghijklmnopqrstuvwxyz1234567890
欧文FONT ▸ クール

329 Bryana Aningsih Shara

1Byte

作者▸ Situjuh Nazara　URL▸ http://c7n1.me/

商用利用：OK

WinTT

330 C7nazara

1Byte

作者▸ Situjuh Nazara　URL▸ http://c7n1.me/

商用利用：OK

WinTT

331 Junction

1Byte

作者▸ The League of Moveable Type　URL▸ https://www.theleagueofmoveabletype.com/

商用利用：OK

OpenType

332 Orbitron

1Byte

作者▸ The League of Moveable Type　URL▸ https://www.theleagueofmoveabletype.com/

商用利用：OK

WinTT / OpenType

333 Raleway

1Byte

作者▸ The League of Moveable Type　URL▸ https://www.theleagueofmoveabletype.com/

商用利用：OK

WinTT

334 Guilder Free

1Byte

作者▸ Tyler Finck　URL▸ http://www.tylerfinck.com/

商用利用：OK

OpenType

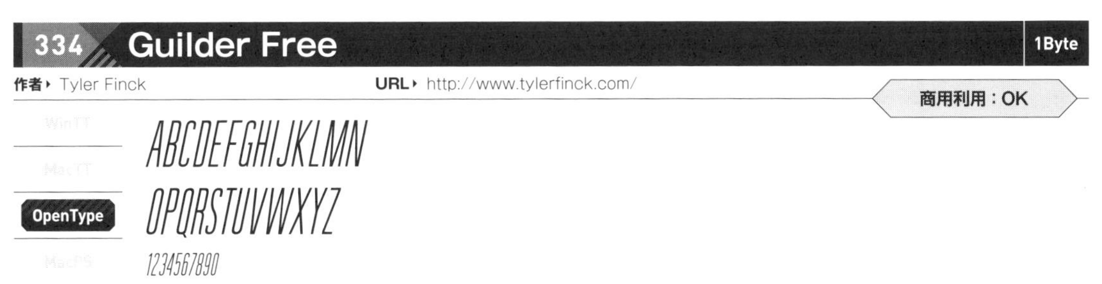

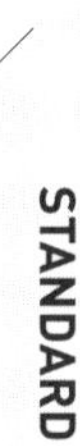

335 Knewave

1Byte

作者▸ Tyler Finck　URL▸ http://www.tylerfinck.com/

商用利用：OK

WinTT / MacTT / OpenType / MacPS

ABCDEFGHIJKLMN
OPQRSTUVWXYZ
abcdefghijklmnopqrstuvwxyz1234567890

336 Southpaw

1Byte

作者▸ Tyler Finck　URL▸ http://www.tylerfinck.com/

商用利用：OK

WinTT / MacTT / OpenType / MacPS

ABCDEFGHIJKLMN
OPQRSTUVWXYZ
abcdefghijklmnopqrstuvwxyz1234567890

337 Bilbo

1Byte

作者▸ TypeSETit　URL▸ http://www.typesetit.com/

商用利用：OK

WinTT / MacTT / OpenType / MacPS

ABCDEFGHIJKLMN
OPQRSTUVWXYZ
abcdefghijklmnopqrstuvwxyz1234567890

338 Bangers

1Byte

作者▸ Vernon Adams　URL▸ https://www.behance.net/vernonadams

商用利用：OK

WinTT / MacTT / OpenType / MacPS

ABCDEFGHIJKLMN
OPQRSTUVWXYZ
ABCDEFGHIJKLMNOPQRSTUVWXYZ1234567890

339 Candal

1Byte

作者▸ Vernon Adams　URL▸ https://www.behance.net/vernonadams

商用利用：OK

WinTT / MacTT / OpenType / MacPS

ABCDEFGHIJKLMN
OPQRSTUVWXYZ
abcdefghijklmnopqrstuvwxyz1234567890

340 Carter One

1Byte

作者▸ Vernon Adams　URL▸ https://www.behance.net/vernonadams

商用利用：OK

WinTT / MacTT / OpenType / MacPS

ABCDEFGHIJKLMN
OPQRSTUVWXYZ
abcdefghijklmnopqrstuvwxyz1234567890

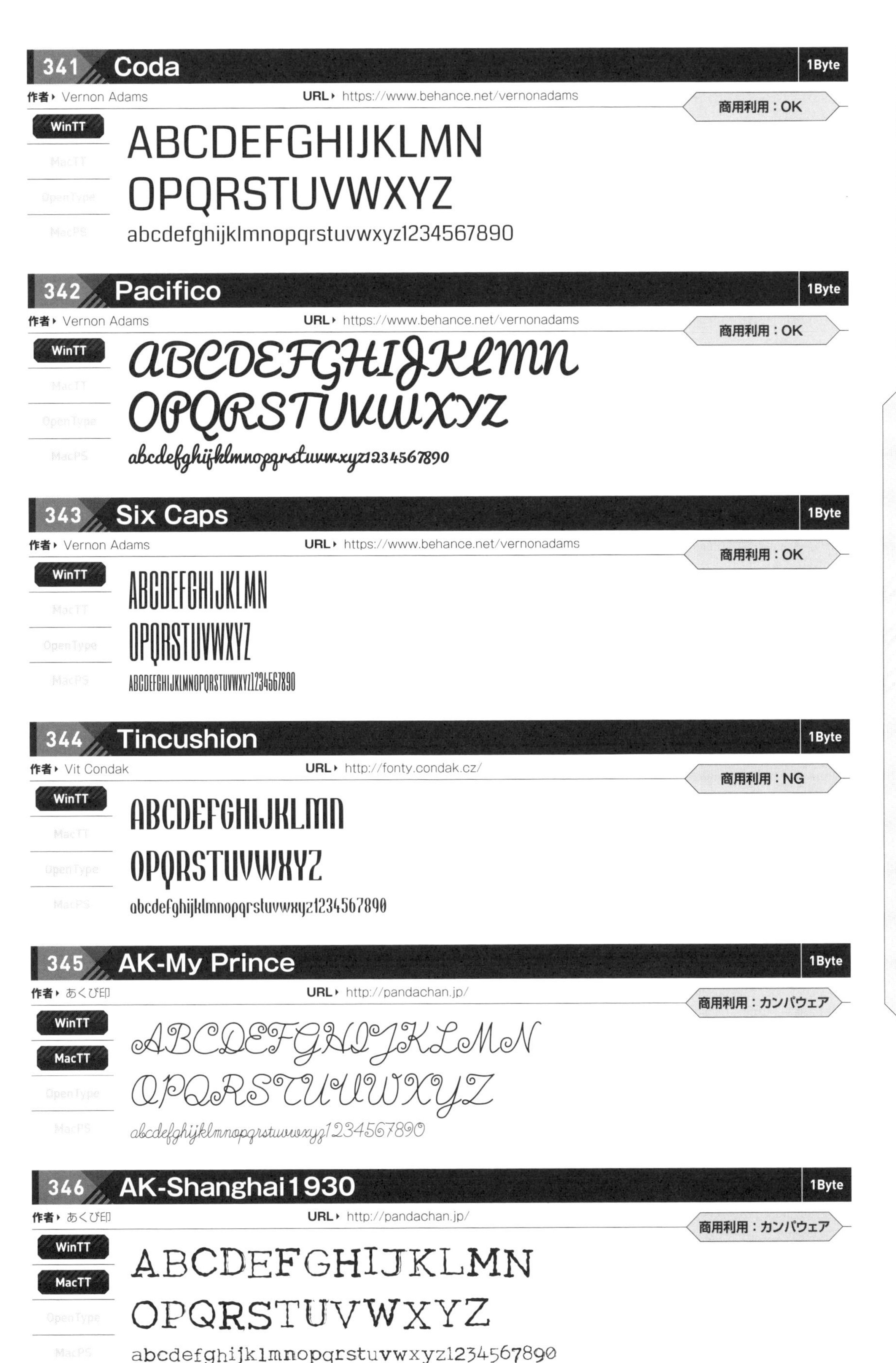

341 Coda
1Byte

作者▸ Vernon Adams　URL▸ https://www.behance.net/vernonadams

商用利用：OK

WinTT　MacTT　OpenType　MacPS

ABCDEFGHIJKLMN
OPQRSTUVWXYZ
abcdefghijklmnopqrstuvwxyz1234567890

342 Pacifico
1Byte

作者▸ Vernon Adams　URL▸ https://www.behance.net/vernonadams

商用利用：OK

WinTT　MacTT　OpenType　MacPS

ABCDEFGHIJKLMN
OPQRSTUVWXYZ
abcdefghijklmnopqrstuvwxyz1234567890

343 Six Caps
1Byte

作者▸ Vernon Adams　URL▸ https://www.behance.net/vernonadams

商用利用：OK

WinTT　MacTT　OpenType　MacPS

ABCDEFGHIJKLMN
OPQRSTUVWXYZ
ABCDEFGHIJKLMNOPQRSTUVWXYZ1234567890

344 Tincushion
1Byte

作者▸ Vit Condak　URL▸ http://fonty.condak.cz/

商用利用：NG

WinTT　MacTT　OpenType　MacPS

ABCDEFGHIJKLMN
OPQRSTUVWXYZ
abcdefghijklmnopqrstuvwxyz1234567890

345 AK-My Prince
1Byte

作者▸ あくび印　URL▸ http://pandachan.jp/

商用利用：カンパウェア

WinTT　MacTT　OpenType　MacPS

ABCDEFGHIJKLMN
OPQRSTUVWXYZ
abcdefghijklmnopqrstuvwxyz1234567890

346 AK-Shanghai1930
1Byte

作者▸ あくび印　URL▸ http://pandachan.jp/

商用利用：カンパウェア

WinTT　MacTT　OpenType　MacPS

ABCDEFGHIJKLMN
OPQRSTUVWXYZ
abcdefghijklmnopqrstuvwxyz1234567890

347 I'm NOT Weapon
1Byte
作者▸ きゃきらん
URL▸ http://bakafonts.kyakirun.com
商用利用：OK
WinTT
OpenType
348 Pentagron
1Byte
作者▸ きゃきらん
URL▸ http://bakafonts.kyakirun.com
商用利用：OK
WinTT
OpenType
349 Tall Twin
1Byte
作者▸ きゃきらん
URL▸ http://bakafonts.kyakirun.com
商用利用：OK
WinTT
350 テクノストレス アルファベット
1Byte
作者▸ きゃきらん
URL▸ http://bakafonts.kyakirun.com
商用利用：OK
WinTT
MacTT
351 Ingress Glyphabet
1Byte
作者▸ たぬき侍
URL▸ http://tanukifont.com/
商用利用：OK
OpenType
352 MagicRing
1Byte
作者▸ 稲塚 春
URL▸ http://inatsuka.hp2.jp/
商用利用：OK
WinTT
欧文FONT▸クール

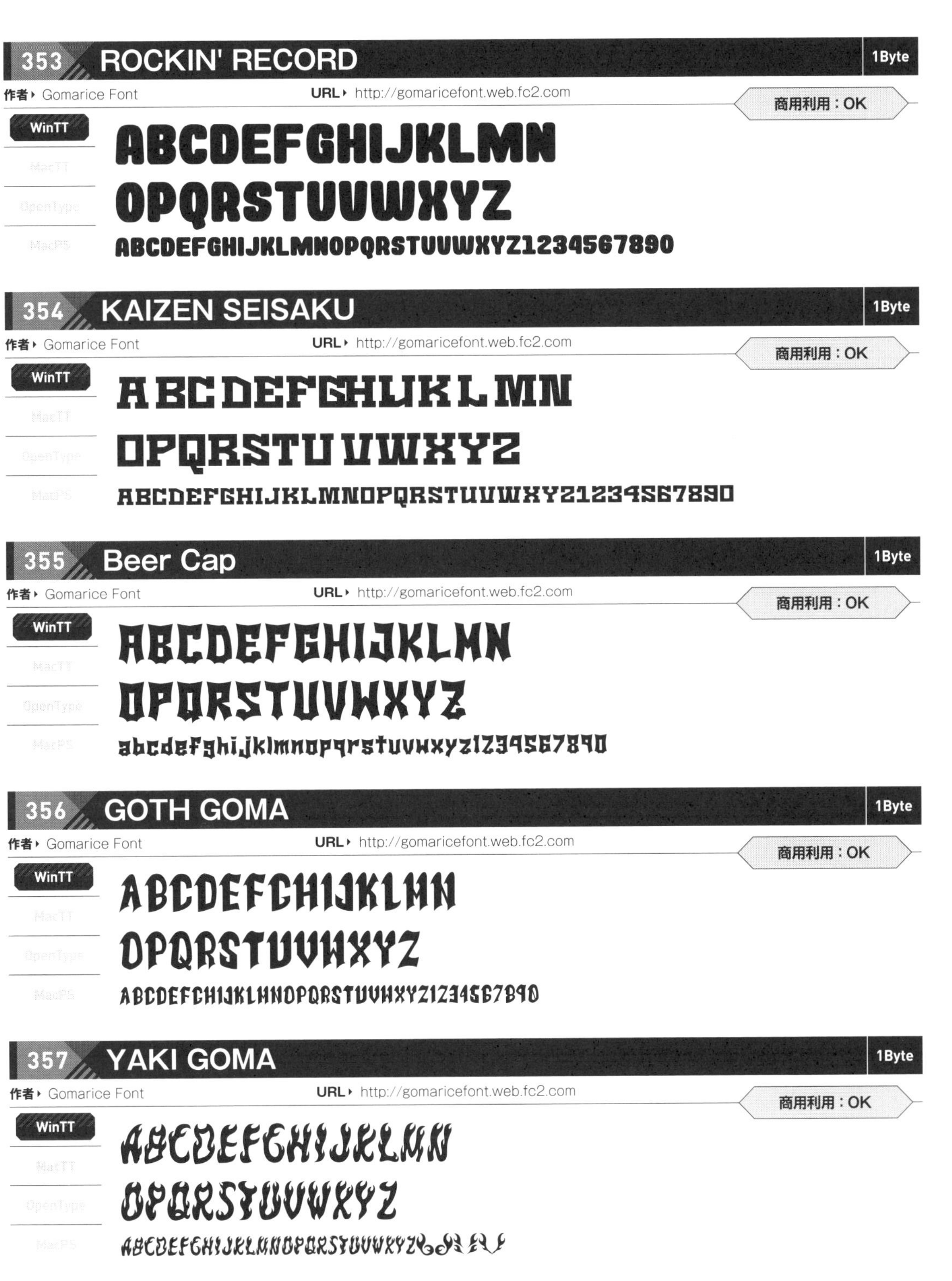

353 ROCKIN' RECORD

1Byte

作者▸ Gomarice Font　URL▸ http://gomaricefont.web.fc2.com　商用利用：OK

WinTT　MacTT　OpenType　MacPS

354 KAIZEN SEISAKU

1Byte

作者▸ Gomarice Font　URL▸ http://gomaricefont.web.fc2.com　商用利用：OK

WinTT　MacTT　OpenType　MacPS

355 Beer Cap

1Byte

作者▸ Gomarice Font　URL▸ http://gomaricefont.web.fc2.com　商用利用：OK

WinTT　MacTT　OpenType　MacPS

356 GOTH GOMA

1Byte

作者▸ Gomarice Font　URL▸ http://gomaricefont.web.fc2.com　商用利用：OK

WinTT　MacTT　OpenType　MacPS

357 YAKI GOMA

1Byte

作者▸ Gomarice Font　URL▸ http://gomaricefont.web.fc2.com　商用利用：OK

WinTT　MacTT　OpenType　MacPS

358 STEEL BOY

1Byte

作者▸ Gomarice Font　URL▸ http://gomaricefont.web.fc2.com　商用利用：OK

WinTT　MacTT　OpenType　MacPS

359 SIMPLE SLUM

1Byte

作者 ▸ Gomarice Font　URL ▸ http://gomaricefont.web.fc2.com

商用利用：OK

WinTT / MacTT / OpenType / MacPS

ABCDEFGHIJKLMN
OPQRSTUVWXYZ
ABCDEFGHIJKLMNOPQRSTUVWXYZ1234567890

360 KAIJU MONSTER

1Byte

作者 ▸ Gomarice Font　URL ▸ http://gomaricefont.web.fc2.com

商用利用：OK

WinTT / MacTT / OpenType / MacPS

ABCDEFGHIJKLMN
OPQRSTUVWXYZ
aBCDEFGHIJKLmNOPQRSTUVWXYZ1234567890

361 Marker 2

1Byte

作者 ▸ Gomarice Font　URL ▸ http://gomaricefont.web.fc2.com

商用利用：OK

WinTT / MacTT / OpenType / MacPS

ABCDEFGHIJKLMN
OPQRSTUVWXYZ
abcdefghijklmnopqrstuvwxyz1234567890

362 SPICY CURRY RICE

1Byte

作者 ▸ Gomarice Font　URL ▸ http://gomaricefont.web.fc2.com

商用利用：OK

WinTT / MacTT / OpenType / MacPS

363 SHIBUYA ZERO

1Byte

作者 ▸ Gomarice Font　URL ▸ http://gomaricefont.web.fc2.com

商用利用：OK

WinTT / MacTT / OpenType / MacPS

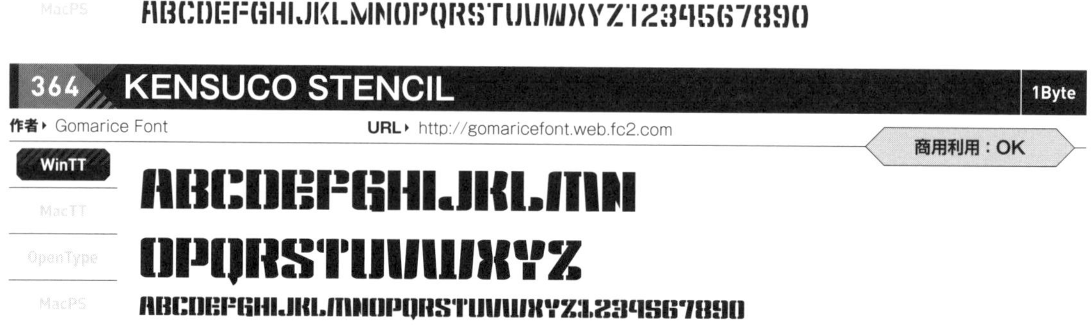

364 KENSUCO STENCIL

1Byte

作者 ▸ Gomarice Font　URL ▸ http://gomaricefont.web.fc2.com

商用利用：OK

WinTT / MacTT / OpenType / MacPS

365 NO CONTINUE

1Byte

作者 ▸ Gomarice Font　URL ▸ http://gomaricefont.web.fc2.com

商用利用：OK

WinTT / MacTT / OpenType / MacPS

366 SHMUP IN THE ZONE

1Byte

作者 ▸ Gomarice Font　URL ▸ http://gomaricefont.web.fc2.com

商用利用：OK

WinTT / MacTT / OpenType / MacPS

367 Eunomia

1Byte

作者 ▸ Sora Sagano　URL ▸ https://dotcolon.net/

商用利用：OK

WinTT / MacTT / OpenType / MacPS

368 Ferrum

1Byte

作者 ▸ Sora Sagano　URL ▸ https://dotcolon.net/

商用利用：OK

WinTT / MacTT / OpenType / MacPS

369 Aguafina Script

1Byte

作者 ▸ Sudtipos　URL ▸ ―

商用利用：OK

WinTT / MacTT / OpenType / MacPS

370 AIR AMERICA

1Byte

作者 ▸ SAJA TYPEWORKS　URL ▸ ―

商用利用：OK

WinTT / MacTT / OpenType / MacPS

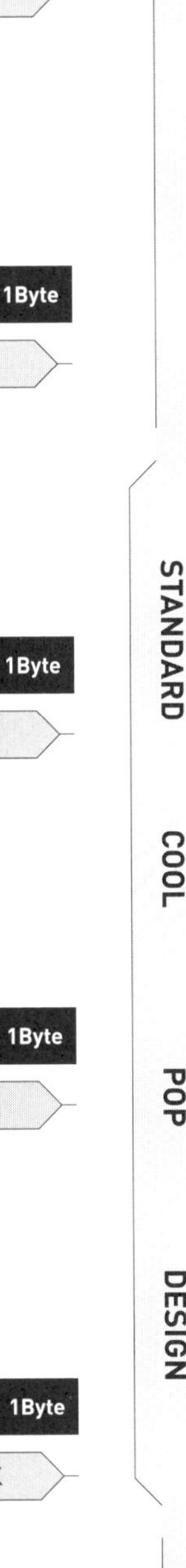

ポップ

POP

やさしいイメージのあるフォント。キュートでかわいいフォントもこちら

371 Elvifrance

1Byte

作者 ▸ 240-185　URL ▸ ―

商用利用：OK

372 Azoft Sans

1Byte

作者 ▸ 4th february　URL ▸ http://fonts.4thfebruary.com.ua/

商用利用：OK

373 Esqadero FF CY 4F

1Byte

作者 ▸ 4th february　URL ▸ http://fonts.4thfebruary.com.ua/

商用利用：OK

374 GetVoIP Grotesque

1Byte

作者 ▸ 4th february　URL ▸ http://fonts.4thfebruary.com.ua/

商用利用：OK

375 Minaeff Ect

1Byte

作者 ▸ 4th february　URL ▸ http://fonts.4thfebruary.com.ua/

商用利用：OK

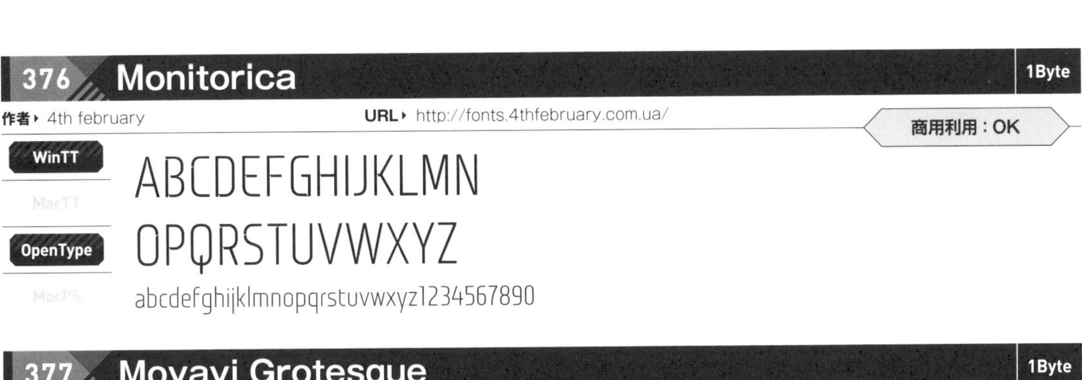
376 Monitorica
1Byte
作者 4th february
URL http://fonts.4thfebruary.com.ua/
商用利用：OK
WinTT
MacTT
OpenType
MacPS
ABCDEFGHIJKLMN
OPQRSTUVWXYZ
abcdefghijklmnopqrstuvwxyz1234567890

377 Movavi Grotesque
1Byte
作者 4th february
URL http://fonts.4thfebruary.com.ua/
商用利用：OK
WinTT
MacTT
OpenType
MacPS
ABCDEFGHIJKLMN
OPQRSTUVWXYZ
abcdefghijklmnopqrstuvwxyz1234567890

378 Myra 4F Caps
1Byte
作者 4th february
URL http://fonts.4thfebruary.com.ua/
商用利用：OK
WinTT
MacTT
OpenType
MacPS
ABCDEFGHIJKLMN
OPQRSTUVWXYZ
ABCDEFGHIJKLMNOPQRSTUVWXYZ1234567890

379 Veselka 4F
1Byte
作者 4th february
URL http://fonts.4thfebruary.com.ua/
商用利用：OK
WinTT
MacTT
OpenType
MacPS
ABCDEFGHIJKLMN
OPQRSTUVWXYZ
abcdefghijklmnopqrstuvwxyz1234567890

380 Alanus
1Byte
作者 Adolfo Rojas
URL http://www.estacionazul.com/
商用利用：OK
WinTT
MacTT
OpenType
MacPS
ABCDEFGHIJKLMN
OPQRSTUVWXYZ
abcdefghijklmnopqrstuvwxyz1234567890

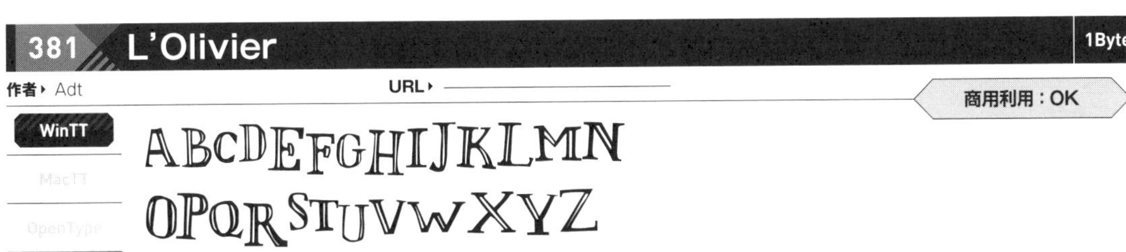
381 L'Olivier
1Byte
作者 Adt
URL
商用利用：OK
WinTT
MacTT
OpenType
MacPS
ABCDEFGHIJKLMN
OPQRSTUVWXYZ
ABCDEFGHIJKLMNOPQRSTUVWXYZ1234567890

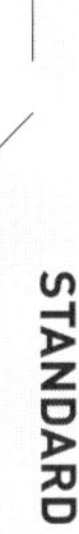

382 alliewriting!
1Byte
作者 alliefont
URL
商用利用：OK
WinTT
MacTT
OpenType
MacPS
ABCDEFGHIJKLMN
OPQRSTUVWXYZ
abcdefghijklmnopqrstuvwxyz1234567890
383 Manila Sans
1Byte
作者 Andrew Paglinawan
URL http://milkideas.com/
商用利用：OK
WinTT
MacTT
OpenType
MacPS
ABCDEFGHIJKLMN
OPQRSTUVWXYZ
abcdefghijklmnopqrstuvwxyz1234567890
384 Quicksand
1Byte
作者 Andrew Paglinawan
URL http://milkideas.com/
商用利用：OK
WinTT
MacTT
OpenType
MacPS
ABCDEFGHIJKLMN
OPQRSTUVWXYZ
abcdefghijklmnopqrstuvwxyz1234567890
385 Fonarto
1Byte
作者 Locomotype
URL http://locomotype.com/
商用利用：OK
WinTT
MacTT
OpenType
MacPS
ABCDEFGHIJKLMN
OPQRSTUVWXYZ
abcdefghijklmnopqrstuvwxyz1234567890
ABCDEFGHIJKLMN
OPQRSTUVWXYZ
abcdefghijklmnopqrstuvwxyz1234567890
386 Brynda1231
1Byte
作者 Brynda1231
URL
商用利用：OK
WinTT
MacTT
OpenType
MacPS
ABCDEFGHIJKLMN
OPQRSTUVWXYZ
abcdefghijklmnopqrstuvwxyz1234567890
387 Bryndan Hand
1Byte
作者 Brynda1231
URL
商用利用：OK
WinTT
MacTT
OpenType
MacPS
ABCDEFGHIJKLMN
OPQRSTUVWXYZ
abcdefghijklmnopqrstuvwxyz1234567890

388 Bryndan Unifont
1Byte
作者 ▸ Brynda1231
URL ▸
商用利用：OK
WinTT
ABCDEFGHIJKLMN
OPQRSTUVWXYZ
abcdefghijklmnopqrstuvwxyz1234567890
389 Hrawolam
1Byte
作者 ▸ Bumbayo Font Fabrik
URL ▸ http://bumbayo.blogspot.com/
商用利用：NG
OpenType
ABCDEFGHIJKLMN
OPQRSTUVWXYZ
abcdefghijklmnopqrstuvwxyz1234567890
390 animals
1Byte
作者 ▸ César antonio
URL ▸
商用利用：OK
WinTT
391 Graffy Crazzy
1Byte
作者 ▸ César antonio
URL ▸
商用利用：OK
WinTT
392 the magicals 2
1Byte
作者 ▸ César antonio
URL ▸
商用利用：OK
WinTT
ABCDEFGHIJKLMN
OPQRSTUVWXYZ
393 walker in the life
1Byte
作者 ▸ César antonio
URL ▸
商用利用：OK
WinTT
ABCDEFGHIJKLMN
OPQRSTUVWXYZ
abcdefghijklmnopqrstuvwxyz1234567890
STANDARD
COOL
POP
DESIGN

394 Sketch Bones
1Byte

作者 ▸ Character　URL ▸

商用利用：OK

WinTT / MacTT / OpenType / MacPS

395 Bad Mofo
1Byte

作者 ▸ Chris Hansen　URL ▸

商用利用：OK

WinTT / MacTT / OpenType / MacPS

396 Deanna
1Byte

作者 ▸ Chris Hansen　URL ▸

商用利用：OK

WinTT / MacTT / OpenType / MacPS

397 Latchboy
1Byte

作者 ▸ Chris Hansen　URL ▸

商用利用：OK

WinTT / MacTT / OpenType / MacPS

398 Nemo Nightmares
1Byte

作者 ▸ Chris Hansen　URL ▸

商用利用：OK

WinTT / MacTT / OpenType / MacPS

399 Raiderz
1Byte

作者 ▸ Chris Hansen　URL ▸

商用利用：OK

WinTT / MacTT / OpenType / MacPS

400 Slaytanic

1Byte

作者 ▸ Chris Hansen　URL ▸ ―

商用利用：OK

WinTT

401 the Gingerbread House

1Byte

作者 ▸ Chris Hansen　URL ▸ ―

商用利用：OK

WinTT

402 Pasdenom

1Byte

作者 ▸ Diogene　URL ▸ ―

商用利用：OK

WinTT

403 Tabaquera

1Byte

作者 ▸ Fernando Haro　URL ▸ http://defharo.com/

商用利用：OK

WinTT

404 V de vacía

1Byte

作者 ▸ Fernando Haro　URL ▸ http://defharo.com/

商用利用：OK

WinTT

405 Oval

1Byte

作者 ▸ Fontfabric　URL ▸ http://fontfabric.com/

商用利用：OK

OpenType

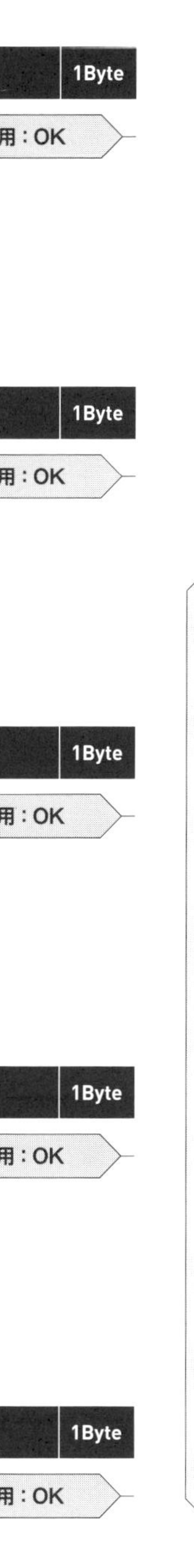

406 Portal

1Byte

作者▸ Fontfabric　URL▸ http://fontfabric.com/

商用利用：OK

WinTT / MacTT / **OpenType** / MacPS

ABCDEFGHIJKLMN
OPQRSTUVWXYZ
ABCDEFGHIJKLMNOPQRSTUVWXYZ1234567890

407 Gatometrix

1Byte

作者▸ gluk　URL▸ http://www.glukfonts.pl/

商用利用：OK

408 Kawoszeh

1Byte

作者▸ gluk　URL▸ http://www.glukfonts.pl/

商用利用：OK

409 Namsk

1Byte

作者▸ gluk　URL▸ http://www.glukfonts.pl/

商用利用：OK

410 Rawengulk Sans

1Byte

作者▸ gluk　URL▸ http://www.glukfonts.pl/

商用利用：OK

411 Resamitz

1Byte

作者▸ gluk　URL▸ http://www.glukfonts.pl/

商用利用：OK

412 SudegnakNo2

1Byte

作者▸ gluk　URL▸ http://www.glukfonts.pl/

商用利用：OK

WinTT / MacTT / OpenType / MacPS

ABCDEFGHIJKLMN
OPQRSTUVWXYZ
abcdefghijklmnopqrstuvwxyz1234567890

413 Wabroye

1Byte

作者▸ gluk　URL▸ http://www.glukfonts.pl/

商用利用：OK

WinTT / MacTT / OpenType / MacPS

abcdefghijklmn
opqrstuvwxyz
abcdefghijklmnopqrstuvwxyz1234567890

414 Znikomit

1Byte

作者▸ gluk　URL▸ http://www.glukfonts.pl/

商用利用：OK

WinTT / MacTT / OpenType / MacPS

ABCDEFGHIJKLMN
OPQRSTUVWXYZ
abcdefghijklmnopqrstuvwxyz1234567890

415 Agoestoesan

1Byte

作者▸ Gunarta　URL▸ http://www.naraaksara.com/

商用利用：OK

WinTT / MacTT / OpenType / MacPS

ABCDEFGHIJKLMN
OPQRSTUVWXYZ
abcdefghijklmnopqrstuvwxyz1234567890

416 Catatan Perjalanan

1Byte

作者▸ Gunarta　URL▸ http://www.naraaksara.com/

商用利用：OK

WinTT / MacTT / OpenType / MacPS

ABCDEFGHIJKLMN
OPQRSTUVWXYZ
ABCDEFGHIJKLMNOPQRSTUVWXYZ1234567890

417 Damai Kpk Polri

1Byte

作者▸ Gunarta　URL▸ http://www.naraaksara.com/

商用利用：OK

WinTT / MacTT / OpenType / MacPS

ABCDEFGHIJKLMN
OPQRSTUVWXYZ
abcdefghijklmnopqrstuvwxyz1234567890

418 Damai Pelajar

1Byte

作者▸ Gunarta　URL▸ http://www.naraaksara.com/

商用利用：OK

WinTT / OpenType

ABCDEFGHIJKLMN
OPQRSTUVWXYZ
abcdefghijklmnopqrstuvwxyz1234567890

419 Did you see that

1Byte

作者▸ Gunarta　URL▸ http://www.naraaksara.com/

商用利用：OK

WinTT

ABCDEFGHIJKLMN
OPQRSTUVWXYZ
abcdefghijklmnopqrstuvwxyz1234567890

420 Don Aquarel

1Byte

作者▸ Gunarta　URL▸ http://www.naraaksara.com/

商用利用：OK

WinTT / OpenType

ABCDEFGHIJKLMN
OPQRSTUVWXYZ
ABCDEFGHIJKLMNOPQRSTUVWXYZ1234567890

421 Don Butique

1Byte

作者▸ Gunarta　URL▸ http://www.naraaksara.com/

商用利用：OK

WinTT

abcdefghijklmn
opqrstuvwxyz
abcdefghijklmnopqrstuvwxyz1234567890

422 Endutt

1Byte

作者▸ Gunarta　URL▸ http://www.naraaksara.com/

商用利用：OK

OpenType

ABCDEFGHIJKLMN
OPQRSTUVWXYZ
abcdefghijklmnopqrstuvwxyz

423 Faishal

1Byte

作者▸ Gunarta　URL▸ http://www.naraaksara.com/

商用利用：OK

WinTT / OpenType

ABCDEFGHIJKLMN
OPQRSTUVWXYZ
ABCDEFGHIJKLMNOPQRSTUVWXYZ1234567890

424 Ikan Besar

1Byte

作者▸ Gunarta　URL▸ http://www.naraaksara.com/

商用利用：OK

WinTT

425 Jangan Bersedih

1Byte

作者▸ Gunarta　URL▸ http://www.naraaksara.com/

商用利用：OK

WinTT

426 Penakut

1Byte

作者▸ Gunarta　URL▸ http://www.naraaksara.com/

商用利用：OK

WinTT

427 Sang Fatchurrohmah

1Byte

作者▸ Gunarta　URL▸ http://www.naraaksara.com/

商用利用：OK

WinTT　OpenType

428 Senang Banyol

1Byte

作者▸ Gunarta　URL▸ http://www.naraaksara.com/

商用利用：OK

OpenType

429 Senyum

1Byte

作者▸ Gunarta　URL▸ http://www.naraaksara.com/

商用利用：OK

WinTT

430 Si Kancil

1Byte

作者 ▸ Gunarta　URL ▸ http://www.naraaksara.com/

商用利用：OK

WinTT / MacTT / OpenType / MacPS

ABCDEFGHIJKLMN
OPQRSTUVWXYZ
abcdefghijklmnopqrstuvwxyz1234567890

431 Soerjapoetera

1Byte

作者 ▸ Gunarta　URL ▸ http://www.naraaksara.com/

商用利用：OK

WinTT / MacTT / OpenType / MacPS

ABCDEFGHIJKLMN
OPQRSTUVWXYZ
ABCDEFGHIJKLMNOPQRSTUVWXYZ1234567890

432 Soerjapoetera Doea

1Byte

作者 ▸ Gunarta　URL ▸ http://www.naraaksara.com/

商用利用：NG

WinTT / MacTT / OpenType / MacPS

ABCDEFGHIJKLMN
OPQRSTUVWXYZ
ABCDEFGHIJKLMNOPQRSTUVWXYZ1234567890

433 Wizzta

1Byte

作者 ▸ Gunarta　URL ▸ http://www.naraaksara.com/

商用利用：OK

WinTT / MacTT / OpenType / MacPS

ABCDEFGHIJKLMN
OPQRSTUVWXYZ
abcdefghijklmnopqrstuvwxyz1234567890

434 Wortellina

1Byte

作者 ▸ Gunarta　URL ▸ http://www.naraaksara.com/

商用利用：OK

WinTT / MacTT / OpenType / MacPS

ABCDEFGHIJKLMN
OPQRSTUVWXYZ
abcdefghijklmnopqrstuvwxyz1234567890

435 hanken round

1Byte

作者 ▸ Hanken Design Co.　URL ▸ https://hanken.co/

商用利用：OK

WinTT / MacTT / OpenType / MacPS

ABCDEFGHIJKLMN
OPQRSTUVWXYZ
abcdefghijklmnopqrstuvwxyz1234567890

436 Fast Money

1Byte

作者▸ James Vipond　URL▸

商用利用：OK

WinTT

ABCDEFGHIJKLMN
OPQRSTUVWXYZ
ABCDEFGHIJKLMNOPQRSTUVWXYZ1234567890

437 Gorri Sans

1Byte

作者▸ Jesús Gorriti　URL▸ https://twitter.com/gorriti

商用利用：OK

WinTT

ABCDEFGHIJKLMN
OPQRSTUVWXYZ
abcdefghijklmnopqrstuvwxyz1234567890

438 20 db

1Byte

作者▸ Jovanny Lemonad　URL▸ http://www.jovanny.ru/

商用利用：OK

OpenType

ABCDEFGHIJKLMN
OPQRSTUVWXYZ
abcdefghijklmnopqrstuvwxyz1234567890

439 Days

1Byte

作者▸ Jovanny Lemonad　URL▸ http://www.jovanny.ru/

商用利用：OK

WinTT

ABCDEFGHIJKLMN
OPQRSTUVWXYZ
abcdefghijklmnopqrstuvwxyz1234567890

440 Days One

1Byte

作者▸ Jovanny Lemonad　URL▸ http://www.jovanny.ru/

商用利用：OK

WinTT

ABCDEFGHIJKLMN
OPQRSTUVWXYZ
abcdefghijklmnopqrstuvwxyz1234567890

441 Drugs

1Byte

作者▸ Jovanny Lemonad　URL▸ http://www.jovanny.ru/

商用利用：OK

OpenType

ABCDEFGHIJKLMN
OPQRSTUVWXYZ
abcdefghijklmnopqrstuvwxyz1234567890

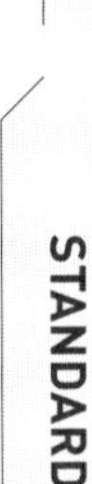

442 Otscookie
1Byte
作者 ▸ Jovanny Lemonad
URL ▸ http://www.jovanny.ru/
商用利用：OK
WinTT
MacTT
OpenType
MacPS
443 Rounds Black
1Byte
作者 ▸ Jovanny Lemonad
URL ▸ http://www.jovanny.ru/
商用利用：OK
WinTT
MacTT
OpenType
MacPS
ABCDEFGHIJKLMN
OPQRSTUVWXYZ
ABCDEFGHIJKLMNOPQRSTUVWXYZ1234567890
444 Subatomic Tsoonami
1Byte
作者 ▸ Kevin Meinert
URL ▸
商用利用：OK
WinTT
MacTT
OpenType
MacPS
ABCDEFGHIJKLMN
OPQRSTUVWXYZ
ABCDEFGHIJKLMNOPQRSTUVWXYZ1234567890
445 Gib Font Plox
1Byte
作者 ▸ KineticPlasma Fonts
URL ▸ http://cannotintospacefonts.blogspot.com/
商用利用：OK
WinTT
MacTT
OpenType
MacPS
ABCDEFGHIJKLMN
OPQRSTUVWXYZ
abcdefghijklmnopqrstuvwxyz1234567890
446 KonKhmer_HEART PJ
1Byte
作者 ▸ KonKhmer
URL ▸
商用利用：OK
WinTT
MacTT
OpenType
MacPS
447 Fuller BTMP
1Byte
作者 ▸ LeSaint
URL ▸
商用利用：OK
WinTT
MacTT
OpenType
MacPS

448 Dubbing Star
1Byte

作者 ▸ NAL　URL ▸ http://nalgames.com/

商用利用：OK

WinTT

449 Manly Man Font
1Byte

作者 ▸ NAL　URL ▸ http://nalgames.com/

商用利用：OK

WinTT

450 Not Sure If Weird Or Just Regular
1Byte

作者 ▸ NAL　URL ▸ http://nalgames.com/

商用利用：OK

WinTT

451 The Rave Is In Your Pants
1Byte

作者 ▸ NAL　URL ▸ http://nalgames.com/

商用利用：OK

OpenType

452 Zany Races
1Byte

作者 ▸ NAL　URL ▸ http://nalgames.com/

商用利用：NG

OpenType

453 Monosquare
1Byte

作者 ▸ Nik Coughlin　URL ▸

商用利用：OK

WinTT

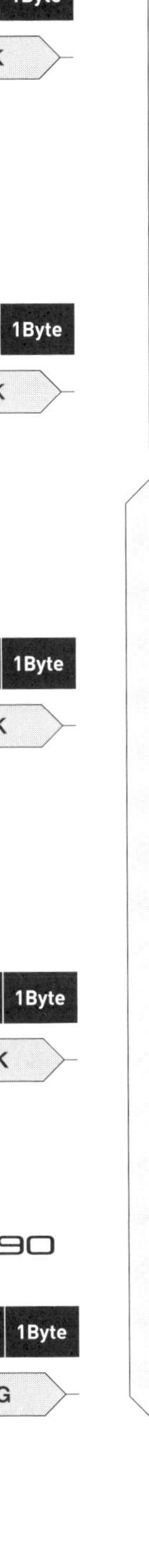

454 DISKOPIA

1Byte

作者 ▸ NimaVisual　URL ▸ http://nimavisual.tumblr.com/

商用利用：OK

WinTT　MacTT　OpenType　MacPS

ABCDEFGHIJKLMN
OPQRSTUVWXYZ
ABCDEFGHIJKLMNOPQRSTUVWXYZ1234567890

455 Composition

1Byte

作者 ▸ Noe Araujo　URL ▸ http://noearaujo.com/

商用利用：OK

WinTT　MacTT　OpenType　MacPS

ABCDEFGHIJKLMN
OPQRSTUVWXYZ
1234567890

456 5yearsoldfont

1Byte

作者 ▸ Peax Webdesign　URL ▸ http://www.peax-webdesign.com/

商用利用：OK

WinTT　MacTT　OpenType　MacPS

ABCDEFGHIJKLMN
OPQRSTUVWXYZ
abcdefghijklmnopqrstuvwxyz1234567890

457 Animaletters

1Byte

作者 ▸ Peax Webdesign　URL ▸ http://www.peax-webdesign.com/

商用利用：OK

WinTT　MacTT　OpenType　MacPS

ABCDEFGHIJKLMN
OPQRSTUVWXYZ
ABCDEFGHIJKLMNOPQRSTUVWXYZ1234567890

458 Cheveuxdange

1Byte

作者 ▸ Peax Webdesign　URL ▸ http://www.peax-webdesign.com/

商用利用：OK

WinTT　MacTT　OpenType　MacPS

ABCDEFGHIJKLMN
OPQRSTUVWXYZ
abcdefghijklmnopqrstuvwxyz1234567890

459 Handylinedfont

1Byte

作者 ▸ Peax Webdesign　URL ▸ http://www.peax-webdesign.com/

商用利用：OK

WinTT　MacTT　OpenType　MacPS

ABCDEFGHIJKLMN
OPQRSTUVWXYZ
abcdefghijklmnopqrstuvwxyz1234567890

460 Mywriting

1Byte

作者 ▸ Peax Webdesign　URL ▸ http://www.peax-webdesign.com/

商用利用：OK

WinTT
MacTT
OpenType
MacPS

ABCDEFGHIJKLMN
OPQRSTUVWXYZ
abcdefghijklmnopqrstuvwxyz1234567890

461 Peax

1Byte

作者 ▸ Peax Webdesign　URL ▸ http://www.peax-webdesign.com/

商用利用：OK

WinTT
MacTT
OpenType
MacPS

ABCDEFGHIJKLMN
OPQRSTUVWXYZ
abcdefghijklmnopqrstuvwxyz1234567890

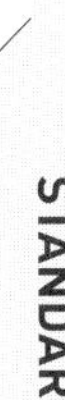

462 PW Simple Handwriting

1Byte

作者 ▸ Peax Webdesign　URL ▸ http://www.peax-webdesign.com/

商用利用：OK

WinTT
MacTT
OpenType
MacPS

ABCDEFGHIJKLMN
OPQRSTUVWXYZ
abcdefghijklmnopqrstuvwxyz1234567890

463 PWFicelles

1Byte

作者 ▸ Peax Webdesign　URL ▸ http://www.peax-webdesign.com/

商用利用：OK

WinTT
MacTT
OpenType
MacPS

464 PWFluidhand

1Byte

作者 ▸ Peax Webdesign　URL ▸ http://www.peax-webdesign.com/

商用利用：OK

WinTT
MacTT
OpenType
MacPS

465 PWFlymetothemoon

1Byte

作者 ▸ Peax Webdesign　URL ▸ http://www.peax-webdesign.com/

商用利用：OK

WinTT
MacTT
OpenType
MacPS

466 PWLeftHand
1Byte

作者 ▸ Peax Webdesign　URL ▸ http://www.peax-webdesign.com/

商用利用：OK

WinTT / MacTT / OpenType / MacPS

ABCDEFGHIJKLMN
OPQRSTUVWXYZ
abcdefghijklmnopqrstuvwxyz1234567890

467 PWOpened
1Byte

作者 ▸ Peax Webdesign　URL ▸ http://www.peax-webdesign.com/

商用利用：OK

WinTT / MacTT / OpenType / MacPS

ABCDEFGHIJKLMN
OPQRSTUVWXYZ
1234567890

468 PWScratchedfont
1Byte

作者 ▸ Peax Webdesign　URL ▸ http://www.peax-webdesign.com/

商用利用：OK

WinTT / MacTT / OpenType / MacPS

ABCDEFGHIJKLMN
OPQRSTUVWXYZ
ABCDEFGHIJKLMNOPQRSTUVWXYZ1234567890

469 PWTrombone
1Byte

作者 ▸ Peax Webdesign　URL ▸ http://www.peax-webdesign.com/

商用利用：OK

WinTT / MacTT / OpenType / MacPS

ABCDEFGHIJKLMN
OPQRSTUVWXYZ
ABCDEFGHIJKLMNOPQRSTUVWXYZ1234567890

470 Simple Rounded
1Byte

作者 ▸ Peax Webdesign　URL ▸ http://www.peax-webdesign.com/

商用利用：OK

WinTT / MacTT / OpenType / MacPS

ABCDEFGHIJKLMN
OPQRSTUVWXYZ
ABCDEFGHIJKLMNOPQRSTUVWXYZ1234567890

471 Stripped Rounded
1Byte

作者 ▸ Peax Webdesign　URL ▸ http://www.peax-webdesign.com/

商用利用：OK

WinTT / MacTT / OpenType / MacPS

ABCDEFGHIJKLMN
OPQRSTUVWXYZ
ABCDEFGHIJKLMNOPQRSTUVWXYZ1234567890

472 Xperience Pasta

1Byte

作者▸ Peax Webdesign　URL▸ http://www.peax-webdesign.com/

商用利用：OK

WinTT / MacTT / OpenType / MacPS

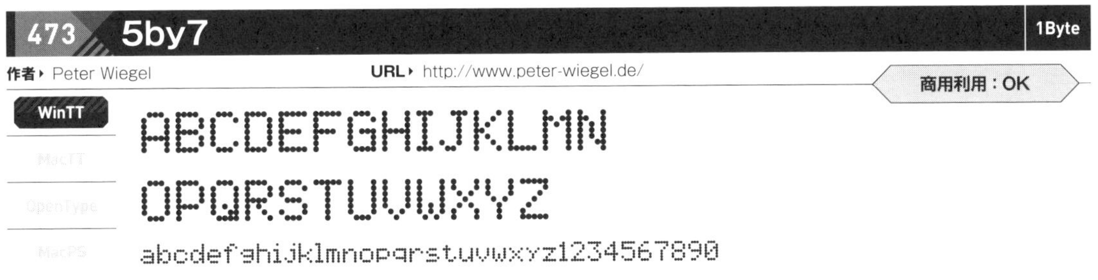

473 5by7

1Byte

作者▸ Peter Wiegel　URL▸ http://www.peter-wiegel.de/

商用利用：OK

WinTT / MacTT / OpenType / MacPS

474 Alpha54

1Byte

作者▸ Peter Wiegel　URL▸ http://www.peter-wiegel.de/

商用利用：OK

WinTT / MacTT / OpenType / MacPS

475 CAT North

1Byte

作者▸ Peter Wiegel　URL▸ http://www.peter-wiegel.de/

商用利用：OK

WinTT / MacTT / OpenType / MacPS

476 Eureka

1Byte

作者▸ Peter Wiegel　URL▸ http://www.peter-wiegel.de/

商用利用：OK

WinTT / MacTT / OpenType / MacPS

477 Graphic CAT

1Byte

作者▸ Peter Wiegel　URL▸ http://www.peter-wiegel.de/

商用利用：OK

WinTT / MacTT / OpenType / MacPS

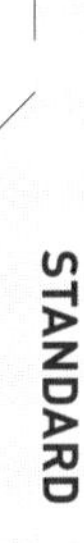

478 Harry Piel

1Byte

作者▸ Peter Wiegel　URL▸ http://www.peter-wiegel.de/

商用利用：OK

WinTT

479 Midroba

1Byte

作者▸ Peter Wiegel　URL▸ http://www.peter-wiegel.de/

商用利用：OK

WinTT

480 moebius

1Byte

作者▸ Peter Wiegel　URL▸ http://www.peter-wiegel.de/

商用利用：OK

WinTT

481 Nathan

1Byte

作者▸ Peter Wiegel　URL▸ http://www.peter-wiegel.de/

商用利用：OK

WinTT

482 Peter Obscure

1Byte

作者▸ Peter Wiegel　URL▸ http://www.peter-wiegel.de/

商用利用：OK

WinTT

483 Powerweld

1Byte

作者▸ Peter Wiegel　URL▸ http://www.peter-wiegel.de/

商用利用：OK

WinTT

484 Proletarsk

1Byte

作者 ▸ Peter Wiegel　URL ▸ http://www.peter-wiegel.de/

商用利用：OK

WinTT / MacTT / OpenType / MacPS

485 Quirkus

1Byte

作者 ▸ Peter Wiegel　URL ▸ http://www.peter-wiegel.de/

商用利用：OK

WinTT / MacTT / OpenType / MacPS

486 Rudelskopf deutsch

1Byte

作者 ▸ Peter Wiegel　URL ▸ http://www.peter-wiegel.de/

商用利用：OK

WinTT / MacTT / OpenType / MacPS

487 Schneidler Maxim

1Byte

作者 ▸ Peter Wiegel　URL ▸ http://www.peter-wiegel.de/

商用利用：OK

WinTT / MacTT / OpenType / MacPS

488 Stage

1Byte

作者 ▸ Peter Wiegel　URL ▸ http://www.peter-wiegel.de/

商用利用：OK

WinTT / MacTT / OpenType / MacPS

489 Tartlers End

1Byte

作者 ▸ Peter Wiegel　URL ▸ http://www.peter-wiegel.de/

商用利用：OK

WinTT / MacTT / OpenType / MacPS

490 Yiggivoo

1Byte

作者▸ Peter Wiegel　URL▸ http://www.peter-wiegel.de/

商用利用：OK

WinTT / MacTT / OpenType / MacPS

ABCDEFGHIJKLMN
OPQRSTUVWXYZ
abcdefghijklmnopqrstuvwxyz1234567890

491 Qarmic sans

1Byte

作者▸ Qwerks　URL▸ http://graphicriver.net/user/joiaco

商用利用：OK

WinTT / MacTT / OpenType / MacPS

ABCDEFGHIJKLMN
OPQRSTUVWXYZ
abcdefghijklmnopqrstuvwxyz1234567890

492 Qarolina

1Byte

作者▸ Qwerks　URL▸ http://graphicriver.net/user/joiaco

商用利用：NG

WinTT / MacTT / OpenType / MacPS

ABCDEFGHIJKLMN
OPQRSTUVWXYZ
abcdefghijklmnopqrstuvwxyz1234567890

493 Qarrotface

1Byte

作者▸ Qwerks　URL▸ http://graphicriver.net/user/joiaco

商用利用：NG

WinTT / MacTT / OpenType / MacPS

ABCDEFGHIJKLMN
OPQRSTUVWXYZ
abcdefghijklmnopqrstuvwxyz1234567890

494 Qokijo

1Byte

作者▸ Qwerks　URL▸ http://graphicriver.net/user/joiaco

商用利用：OK

WinTT / MacTT / OpenType / MacPS

ABCDEFGHIJKLMN
OPQRSTUVWXYZ
abcdefghijklmnopqrstuvwxyz1234567890

495 Qokipops

1Byte

作者▸ Qwerks　URL▸ http://graphicriver.net/user/joiaco

商用利用：NG

WinTT / MacTT / OpenType / MacPS

ABCDEFGHIJKLMN
OPQRSTUVWXYZ
abcdefghijklmnopqrstuvwxyz1234567890

496 Qrypton

1Byte

作者▸ Qwerks　URL▸ http://graphicriver.net/user/joiaco

商用利用：OK

WinTT / MacTT / **OpenType** / MacPS

497 Quiglet

1Byte

作者▸ Qwerks　URL▸ http://graphicriver.net/user/joiaco

商用利用：NG

WinTT / MacTT / **OpenType** / MacPS

498 Quirlycues

1Byte

作者▸ Qwerks　URL▸ http://graphicriver.net/user/joiaco

商用利用：OK

WinTT / MacTT / OpenType / MacPS

499 Qumbazonki

1Byte

作者▸ Qwerks　URL▸ http://graphicriver.net/user/joiaco

商用利用：NG

WinTT / MacTT / **OpenType** / MacPS

500 Quota

1Byte

作者▸ Qwerks　URL▸ http://graphicriver.net/user/joiaco

商用利用：OK

WinTT / MacTT / **OpenType** / MacPS

501 Qut'n'torn

1Byte

作者▸ Qwerks　URL▸ http://graphicriver.net/user/joiaco

商用利用：OK

WinTT / MacTT / OpenType / MacPS

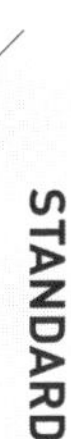

502 Qwinkwell

1Byte

作者▸ Qwerks　URL▸ http://graphicriver.net/user/joiaco

商用利用：NG

WinTT / MacTT / OpenType / MacPS

ABCDEFGHIJKLMN
OPQRSTUVWXYZ
abcdefghijklmnopqrstuvwxyz1234567890

503 coopoppo 3D

1Byte

作者▸ rain-road（rina）　URL▸ http://rain-road.com/

商用利用：要事前連絡

WinTT / MacTT / OpenType / MacPS

504 coopoppo edge

1Byte

作者▸ rain-road（rina）　URL▸ http://rain-road.com/

商用利用：要事前連絡

WinTT / MacTT / OpenType / MacPS

505 coro

1Byte

作者▸ rain-road（rina）　URL▸ http://rain-road.com/

商用利用：要事前連絡

WinTT / MacTT / OpenType / MacPS

506 coro 3D

1Byte

作者▸ rain-road（rina）　URL▸ http://rain-road.com/

商用利用：要事前連絡

WinTT / MacTT / OpenType / MacPS

507 coro edge

1Byte

作者▸ rain-road（rina）　URL▸ http://rain-road.com/

商用利用：要事前連絡

WinTT / MacTT / OpenType / MacPS

508 sheepish 1Byte

作者▸ rain-road（rina）　URL▸ http://rain-road.com/

商用利用：要事前連絡

509 whipping cream 1Byte

作者▸ rain-road（rina）　URL▸ http://rain-road.com/

商用利用：要事前連絡

510 Expressway 1Byte

作者▸ Raymond Larabie　URL▸ http://typodermicfonts.com/

商用利用：OK

511 Mufferaw 1Byte

作者▸ Raymond Larabie　URL▸ http://typodermicfonts.com/

商用利用：OK

512 Pakenham 1Byte

作者▸ Raymond Larabie　URL▸ http://typodermicfonts.com/

商用利用：OK

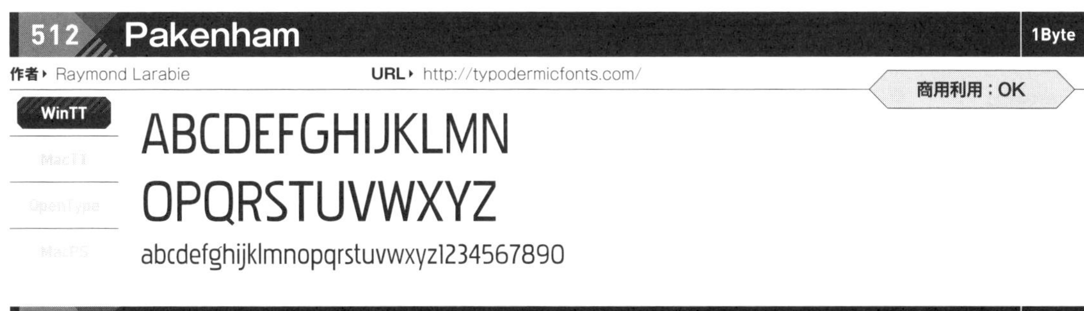

513 Rimouski 1Byte

作者▸ Raymond Larabie　URL▸ http://typodermicfonts.com/

商用利用：OK

514 Teen

1Byte

作者 ▸ Raymond Larabie　URL ▸ http://typodermicfonts.com/

商用利用：OK

WinTT　MacTT　OpenType　MacPS

ABCDEFGHIJKLMN
OPQRSTUVWXYZ
abcdefghijklmnopqrstuvwxyz1234567890

515 Uchiyama

1Byte

作者 ▸ Raymond Larabie　URL ▸ http://typodermicfonts.com/

商用利用：OK

WinTT　MacTT　OpenType　MacPS

516 You're Gone

1Byte

作者 ▸ Raymond Larabie　URL ▸ http://typodermicfonts.com/

商用利用：OK

WinTT　MacTT　OpenType　MacPS

517 Asgalt

1Byte

作者 ▸ Rémi Lagast　URL ▸ https://www.behance.net/Rlg66

商用利用：OK

WinTT　MacTT　OpenType　MacPS

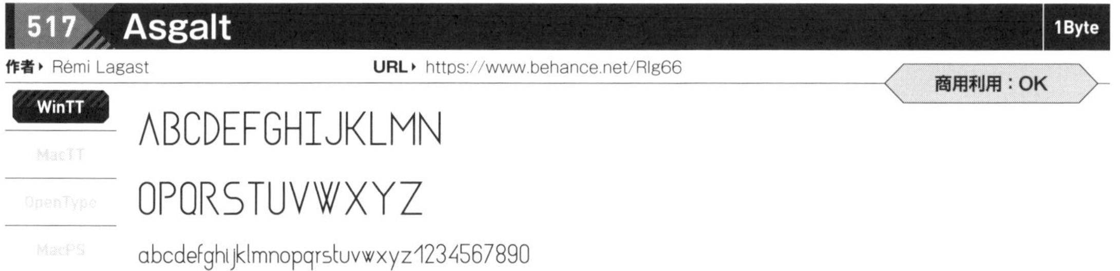

518 aurora

1Byte

作者 ▸ Rémi Lagast　URL ▸ https://www.behance.net/Rlg68

商用利用：OK

WinTT　MacTT　OpenType　MacPS

519 Gasalt

1Byte

作者 ▸ Rémi Lagast　URL ▸ https://www.behance.net/Rlg67

商用利用：OK

WinTT　MacTT　OpenType　MacPS

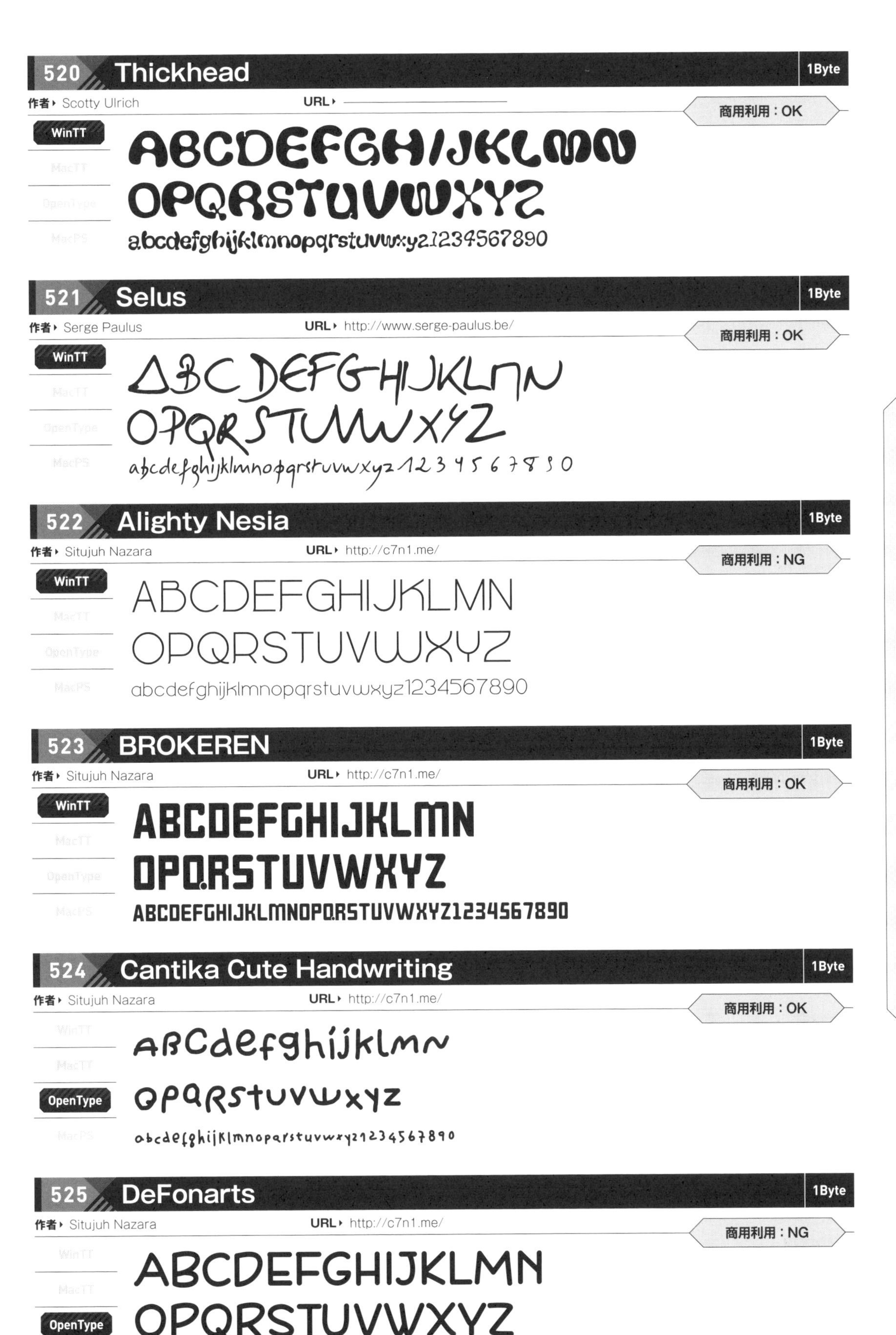

520 Thickhead

1Byte

作者▸ Scotty Ulrich　URL▸

商用利用：OK

WinTT / MacTT / OpenType / MacPS

521 Selus

1Byte

作者▸ Serge Paulus　URL▸ http://www.serge-paulus.be/

商用利用：OK

WinTT / MacTT / OpenType / MacPS

522 Alighty Nesia

1Byte

作者▸ Situjuh Nazara　URL▸ http://c7n1.me/

商用利用：NG

WinTT / MacTT / OpenType / MacPS

523 BROKEREN

1Byte

作者▸ Situjuh Nazara　URL▸ http://c7n1.me/

商用利用：OK

WinTT / MacTT / OpenType / MacPS

524 Cantika Cute Handwriting

1Byte

作者▸ Situjuh Nazara　URL▸ http://c7n1.me/

商用利用：OK

WinTT / MacTT / OpenType / MacPS

525 DeFonarts

1Byte

作者▸ Situjuh Nazara　URL▸ http://c7n1.me/

商用利用：NG

WinTT / MacTT / OpenType / MacPS

526 DOTCIRFUL

1Byte

作者▸ Situjuh Nazara　URL▸ http://c7n1.me/

商用利用：NG

WinTT / MacTT / **OpenType** / MacPS

ABCDEFGHIJKLMN
OPQRSTUVWXYZ
abcdefghijklmnopqrstuvwxyz1234567890

527 Fortheenas_01

1Byte

作者▸ Situjuh Nazara　URL▸ http://c7n1.me/

商用利用：OK

WinTT / MacTT / **OpenType** / MacPS

ABCDEFGHIJKLMN
OPQRSTUVWXYZ
abcdefghijklmnopqrstuvwxyz1234567890

528 gpkn

1Byte

作者▸ Situjuh Nazara　URL▸ http://c7n1.me/

商用利用：OK

WinTT / MacTT / OpenType / MacPS

ABCDEFGHIJKLMN
OPQRSTUVWXYZ
abcdefghijklmnopqrstuvwxyz1234567890

529 Handgley

1Byte

作者▸ Situjuh Nazara　URL▸ http://c7n1.me/

商用利用：NG

WinTT / MacTT / **OpenType** / MacPS

ABCDEFGHIJKLMN
OPQRSTUVWXYZ
abcdefghijklmnopqrstuvwxyz1234567890

530 Situjuh Hand

1Byte

作者▸ Situjuh Nazara　URL▸ http://c7n1.me/

商用利用：OK

WinTT / MacTT / OpenType / MacPS

ABCDEFGHIJKLMN
OPQRSTUVWXYZ
abcdefghijklmnopqrstuvwxyz1234567890

531 the amazing grace

1Byte

作者▸ Situjuh Nazara　URL▸ http://c7n1.me/

商用利用：OK

WinTT / MacTT / OpenType / MacPS

abcdefghijklmn
opqrstuvwxyz
abcdefghijklmnopqrstuvwxyz

532 Tulisan Tangan 74

1Byte

作者 ▸ Situjuh Nazara　URL ▸ http://c7n1.me/

商用利用：NG

OpenType

533 Yaahowu

1Byte

作者 ▸ Situjuh Nazara　URL ▸ http://c7n1.me/

商用利用：OK

WinTT

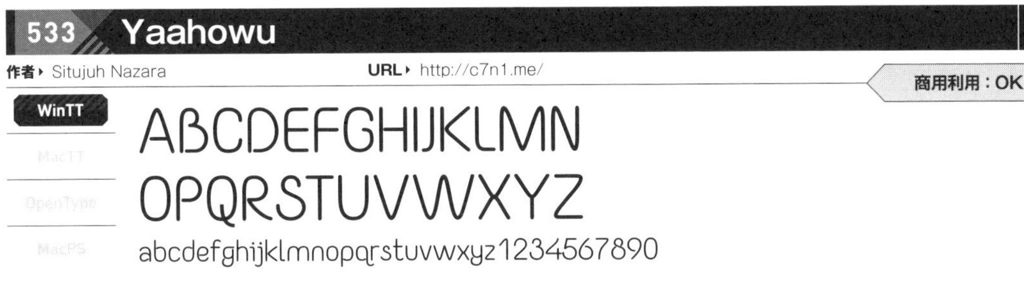

534 DOCKER

1Byte

作者 ▸ Slava Krivonosov　URL ▸ https://www.behance.net/krivonosov

商用利用：OK

WinTT

535 LAMPA

1Byte

作者 ▸ Slava Krivonosov　URL ▸ https://www.behance.net/krivonosov

商用利用：OK

OpenType

536 Wikingg

1Byte

作者 ▸ Slava Krivonosov　URL ▸ https://www.behance.net/krivonosov

商用利用：OK

OpenType

537 Android 7

1Byte

作者 ▸ Style-7　URL ▸ http://www.styleseven.com/

商用利用：OK

WinTT

538 Software Tester 7 — 1Byte

作者 ▸ Style-7　URL ▸ http://www.styleseven.com/

商用利用：OK

WinTT / MacTT / OpenType / MacPS

ABCDEFGHIJKLMN
OPQRSTUVWXYZ
abcdefghijklmnopqrstuvwxyz1234567890

539 Sniglet — 1Byte

作者 ▸ The League of Moveable Type　URL ▸ https://www.theleagueofmoveabletype.com/

商用利用：OK

WinTT / MacTT / OpenType / MacPS

ABCDEFGHIJKLMN
OPQRSTUVWXYZ
abcdefghijklmnopqrstuvwxyz1234567890

540 PORT118 — 1Byte

作者 ▸ thom　URL ▸ ―

商用利用：OK

WinTT / MacTT / OpenType / MacPS

ABCDEFGHIJKLMN
OPQRSTUVWXYZ
ABCDEFGHIJKLMNOPQRSTUVWXYZ1234567890

541 CHAWP — 1Byte

作者 ▸ Tyler Finck　URL ▸ http://www.tylerfinck.com/

商用利用：OK

WinTT / MacTT / OpenType / MacPS

ABCDEFGHIJKLMN
OPQRSTUVWXYZ
ABCDEFGHIJKLMNOPQRSTUVWXYZ1234567890

542 Granstander Clean — 1Byte

作者 ▸ Tyler Finck　URL ▸ http://www.tylerfinck.com/

商用利用：OK

WinTT / MacTT / OpenType / MacPS

ABCDEFGHIJKLMN
OPQRSTUVWXYZ
abcdefghijklmnopqrstuvwxyz1234567890

543 Taurus Mono Outline — 1Byte

作者 ▸ Tyler Finck　URL ▸ http://www.tylerfinck.com/

商用利用：OK

WinTT / MacTT / OpenType / MacPS

ABCDEFGHIJKLMN
OPQRSTUVWXYZ
ABCDEFGHIJKLMNOPQRSTUVWXYZ1234567890

STANDARD
COOL
POP
DESIGN

544 Playball

1Byte

作者▸ TypeSETit　URL▸ http://www.typesetit.com/

商用利用：OK

WinTT

ABCDEFGHIJKLMN
OPQRSTUVWXYZ
abcdefghijklmnopqrstuvwxyz1234567890

545 MattressesFont

1Byte

作者▸ urbanmattress　URL▸

商用利用：OK

WinTT

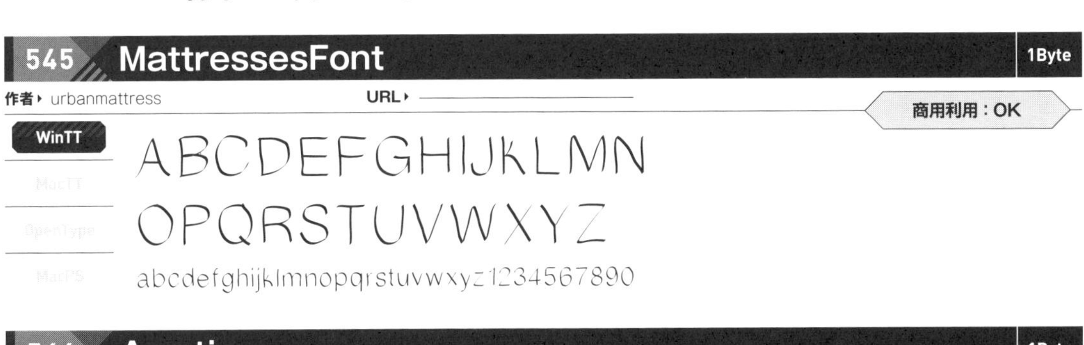
ABCDEFGHIJKLMN
OPQRSTUVWXYZ
abcdefghijklmnopqrstuvwxyz1234567890

546 Amatic

1Byte

作者▸ Vernon Adams　URL▸ https://www.behance.net/vernonadams

商用利用：OK

WinTT

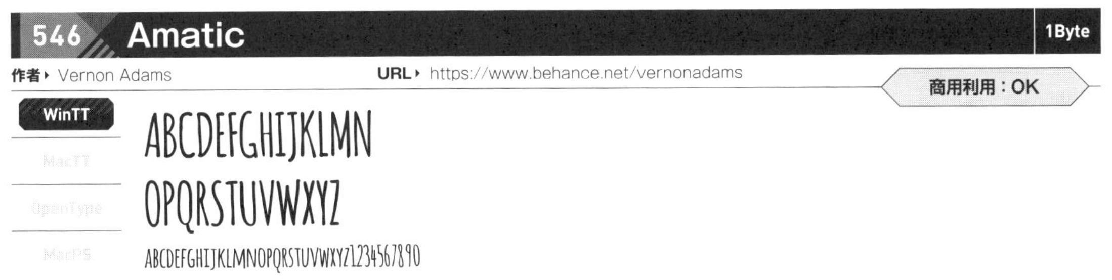
ABCDEFGHIJKLMN
OPQRSTUVWXYZ
ABCDEFGHIJKLMNOPQRSTUVWXYZ1234567890

547 Amatic SC

1Byte

作者▸ Vernon Adams　URL▸ https://www.behance.net/vernonadams

商用利用：OK

WinTT

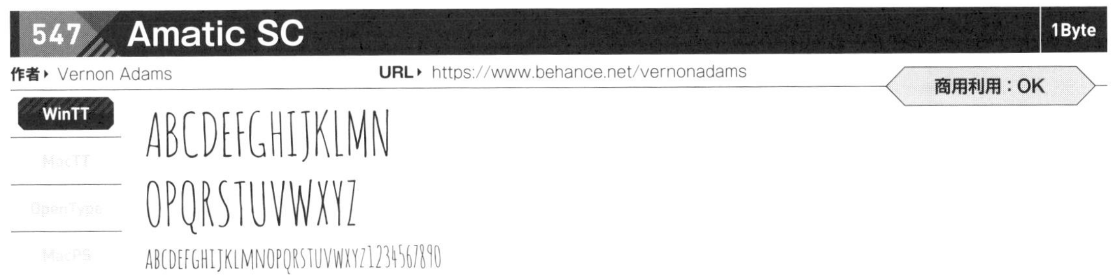
ABCDEFGHIJKLMN
OPQRSTUVWXYZ
ABCDEFGHIJKLMNOPQRSTUVWXYZ1234567890

548 Bowlby One

1Byte

作者▸ Vernon Adams　URL▸ https://www.behance.net/vernonadams

商用利用：OK

WinTT

ABCDEFGHIJKLMN
OPQRSTUVWXYZ
abcdefghijklmnopqrstuvwxyz1234567890

549 Corben

1Byte

作者▸ Vernon Adams　URL▸ https://www.behance.net/vernonadams

商用利用：OK

WinTT

ABCDEFGHIJKLMN
OPQRSTUVWXYZ
abcdefghijklmnopqrstuvwxyz1234567890

550 Gruppo
1Byte

作者 ▸ Vernon Adams　URL ▸ https://www.behance.net/vernonadams

商用利用：OK

WinTT / MacTT / OpenType / MacPS

ABCDEFGHIJKLMN
OPQRSTUVWXYZ
abcdefghijklmnopqrstuvwxyz1234567890

551 Holtwood One SC
1Byte

作者 ▸ Vernon Adams　URL ▸ https://www.behance.net/vernonadams

商用利用：OK

WinTT / MacTT / OpenType / MacPS

ABCDEFGHIJKLMN
OPQRSTUVWXYZ
ABCDEFGHIJKLMNOPQRSTUVWXYZ1234567890

552 Monda
1Byte

作者 ▸ Vernon Adams　URL ▸ https://www.behance.net/vernonadams

商用利用：OK

WinTT / MacTT / OpenType / MacPS

ABCDEFGHIJKLMN
OPQRSTUVWXYZ
abcdefghijklmnopqrstuvwxyz1234567890

553 Muli
1Byte

作者 ▸ Vernon Adams　URL ▸ https://www.behance.net/vernonadams

商用利用：OK

WinTT / MacTT / OpenType / MacPS

ABCDEFGHIJKLMN
OPQRSTUVWXYZ
abcdefghijklmnopqrstuvwxyz1234567890

554 Sigmar One
1Byte

作者 ▸ Vernon Adams　URL ▸ https://www.behance.net/vernonadams

商用利用：OK

WinTT / MacTT / OpenType / MacPS

ABCDEFGHIJKLMN
OPQRSTUVWXYZ
ABCDEFGHIJKLMNOPQRSTUVWXYZ1234567890

555 Gunny Rewritten
1Byte

作者 ▸ Vit Condak　URL ▸ http://fonty.condak.cz/

商用利用：OK

WinTT / MacTT / OpenType / MacPS

ABCDEFGHIJKLMN
OPQRSTUVWXYZ
abcdefghijklmnopqrstuvwxyz1234567890

556 Ubuntu Title

1Byte

作者 ▸ Volvoguy　URL ▸ http://www.volvoguy.net/ubuntu/

商用利用：OK

WinTT

abcdefghijklmn
opqrstuvwxyz
abcdefghijklmnopqrstuvwxyz1234567890

557 Arsenale Blue

1Byte

作者 ▸ Zetafonts　URL ▸ http://www.zetafonts.com/

商用利用：OK

WinTT

ABCDEFGHIJKLMN
OPQRSTUVWXYZ
abcdefghijklmnopqrstuvwxyz1234567890

558 AK-ANGEL

1Byte

作者 ▸ あくび印　URL ▸ http://pandachan.jp/

商用利用：カンパウェア

WinTT
MacTT

ABCDEFGHIJKLMN
OPQRSTUVWXYZ
ABCDEFGHIJKLMNOPQRSTUVWXYZ1234567890

559 AK-Applique Black

1Byte

作者 ▸ あくび印　URL ▸ http://pandachan.jp/

商用利用：カンパウェア

WinTT
MacTT

ABCDEFGHIJKLMN
OPQRSTUVWXYZ
abcdefghijklmnopqrstuvwxyz1234567890

560 AK-Applique White

1Byte

作者 ▸ あくび印　URL ▸ http://pandachan.jp/

商用利用：カンパウェア

WinTT
MacTT

ABCDEFGHIJKLMN
OPQRSTUVWXYZ
abcdefghijklmnopqrstuvwxyz1234567890

561 AK-cookies

1Byte

作者 ▸ あくび印　URL ▸ http://pandachan.jp/

商用利用：カンパウェア

WinTT
MacTT

ABCDEFGHIJKLMN
OPQRSTUVWXYZ
ABCDEFGHIJKLMNOPQRSTUVWXYZ1234567890

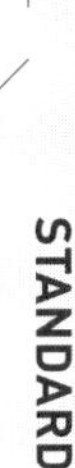

562 AK-Elephant3

1Byte

作者 ▸ あくび印　URL ▸ http://pandachan.jp/

商用利用：カンパウェア

WinTT　MacTT　OpenType　MacPS

ABCDEFGHIJKLMN
OPQRSTUVWXYZ
abcdefghijklmnopqrstuvwxyz1234567890

563 AK-Headgehogs

1Byte

作者 ▸ あくび印　URL ▸ http://pandachan.jp/

商用利用：カンパウェア

WinTT　MacTT　OpenType　MacPS

ABCDEFGHIJKLMN
OPQRSTUVWXYZ

564 AK-JellyBeans

1Byte

作者 ▸ あくび印　URL ▸ http://pandachan.jp/

商用利用：カンパウェア

WinTT　MacTT　OpenType　MacPS

ABCDEFGHIJKLMN
OPQRSTUVWXYZ
abcdefghijklmnopqrstuvwxyz1234567890

565 AK-keroyon

1Byte

作者 ▸ あくび印　URL ▸ http://pandachan.jp/

商用利用：カンパウェア

WinTT　MacTT　OpenType　MacPS

ABCDEFGHIJKLMN
OPQRSTUVWXYZ

566 AK-NikuQ-Nyanko

1Byte

作者 ▸ あくび印　URL ▸ http://pandachan.jp/

商用利用：カンパウェア

WinTT　MacTT　OpenType　MacPS

ABCDEFGHIJKLMN
OPQRSTUVWXYZ

567 AK-NikuQ-wanko

1Byte

作者 ▸ あくび印　URL ▸ http://pandachan.jp/

商用利用：カンパウェア

WinTT　MacTT　OpenType　MacPS

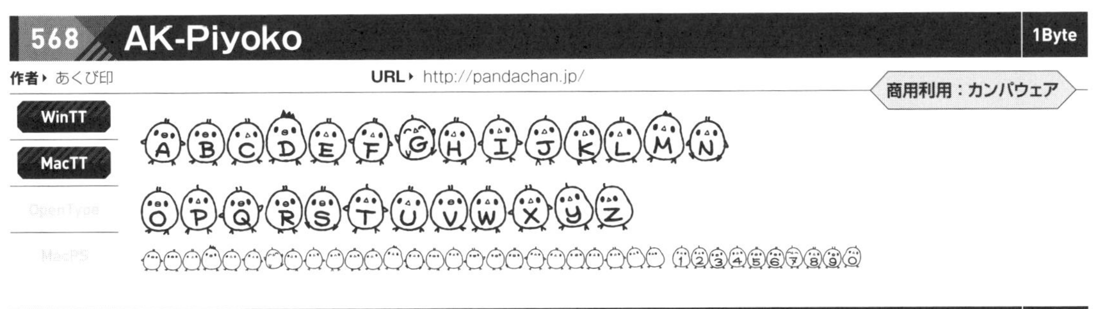

568 AK-Piyoko

1Byte

作者▸ あくび印　URL▸ http://pandachan.jp/

商用利用：カンパウェア

WinTT　MacTT　OpenType　MacPS

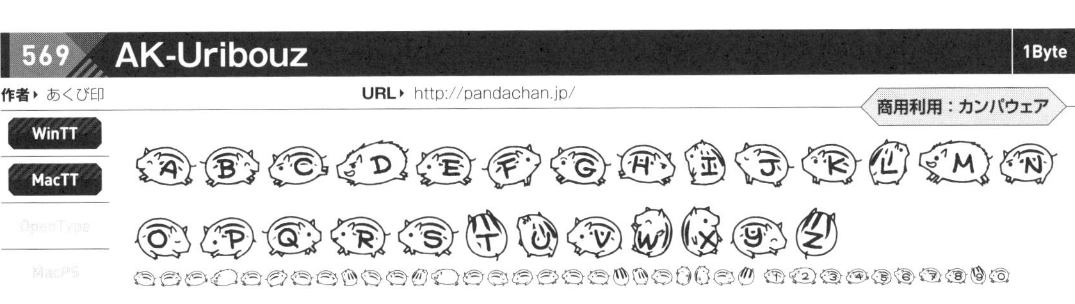

569 AK-Uribouz

1Byte

作者▸ あくび印　URL▸ http://pandachan.jp/

商用利用：カンパウェア

WinTT　MacTT　OpenType　MacPS

570 AK-WANKO

1Byte

作者▸ あくび印　URL▸ http://pandachan.jp/

商用利用：カンパウェア

WinTT　MacTT　OpenType　MacPS

571 After Attack

1Byte

作者▸ きゃきらん　URL▸ http://bakafonts.kyakirun.com

商用利用：OK

WinTT　MacTT　OpenType　MacPS

572 Before Attack

1Byte

作者▸ きゃきらん　URL▸ http://bakafonts.kyakirun.com

商用利用：OK

WinTT　MacTT　OpenType　MacPS

573 CHOP!!!!!

1Byte

作者▸ きゃきらん　URL▸ http://bakafonts.kyakirun.com

商用利用：OK

WinTT　MacTT　OpenType　MacPS

574 KICK!!!!! 1Byte

作者▸ きゃきらん　URL▸ http://bakafonts.kyakirun.com

商用利用：OK

WinTT / MacTT

ABCDEFGHIJKLMN
OPQRSTUVWXYZ
abcdefghijklmnopqrstuvwxyz1234567890

575 Mystery Circle 1Byte

作者▸ きゃきらん　URL▸ http://bakafonts.kyakirun.com

商用利用：OK

WinTT / MacTT / OpenType

ABCDEFGHIJKLMN
OPQRSTUVWXYZ
abcdefghijklmnopqrstuvwxyz1234567890

576 PUNCH!!!!! 1Byte

作者▸ きゃきらん　URL▸ http://bakafonts.kyakirun.com

商用利用：OK

WinTT / MacTT

ABCDEFGHIJKLMN
OPQRSTUVWXYZ
abcdefghijklmnopqrstuvwxyz1234567890

577 つるん 1Byte

作者▸ きゃきらん　URL▸ http://bakafonts.kyakirun.com

商用利用：OK

WinTT / OpenType

ABCDEFGHIJKLMN
OPQRSTUVWXYZ
1234567890

578 ホネボーン 鳥骨鶏 1Byte

作者▸ きゃきらん　URL▸ http://bakafonts.kyakirun.com

商用利用：OK

WinTT / OpenType

ABCDEFGHIJKLMN
OPQRSTUVWXYZ
abcdefghijklmnopqrstuvwxyz1234567890

579 ホネボーン 白骨 1Byte

作者▸ きゃきらん　URL▸ http://bakafonts.kyakirun.com

商用利用：OK

WinTT

580 Syouwa Retro Pop
1Byte

作者 ▸ Gomarice Font　URL ▸ http://gomaricefont.web.fc2.com　商用利用：OK

WinTT / MacTT / OpenType / MacPS

ABCDEFGHIJKLMN
OPQRSTUVWXYZ
abcdefghijklmnopqrstuvwxyz1234567890

581 NANTOKA WESTERN
1Byte

作者 ▸ Gomarice Font　URL ▸ http://gomaricefont.web.fc2.com　商用利用：OK

WinTT / MacTT / OpenType / MacPS

ABCDEFGHIJKLMN
OPQRSTUVWXYZ
ABCDEFGHIJKLMNOPQRSTUVWXYZ1234567890

582 NANDAKA WESTERN
1Byte

作者 ▸ Gomarice Font　URL ▸ http://gomaricefont.web.fc2.com　商用利用：OK

WinTT / MacTT / OpenType / MacPS

ABCDEFGHIJKLMN
OPQRSTUVWXYZ
ABCDEFGHIJKLMNOPQRSTUVWXYZ1234567890

583 DOUGHNUT MONSTER
1Byte

作者 ▸ Gomarice Font　URL ▸ http://gomaricefont.web.fc2.com　商用利用：OK

WinTT / MacTT / OpenType / MacPS

ABCDEFGHIJKLMN
OPQRSTUVWXYZ
ABCDEFGHIJKLMNOPQRSTUVWXYZ1234567890

584 ATAMA
1Byte

作者 ▸ Gomarice Font　URL ▸ http://gomaricefont.web.fc2.com　商用利用：OK

WinTT / MacTT / OpenType / MacPS

ABCDEFGHIJKLMN
OPQRSTUVWXYZ
ABCDEFGHIJKLMNOPQRSTUVWXYZ1234567890

585 ATAMA SERIF
1Byte

作者 ▸ Gomarice Font　URL ▸ http://gomaricefont.web.fc2.com　商用利用：OK

WinTT / MacTT / OpenType / MacPS

ABCDEFGHIJKLMN
OPQRSTUVWXYZ
ABCDEFGHIJKLMNOPQRSTUVWXYZ1234567890

586 Honey Bone

1Byte

作者 ▸ Gomarice Font　URL ▸ http://gomaricefont.web.fc2.com

商用利用：OK

WinTT / MacTT / OpenType / MacPS

ABCDEFGHIJKLMN
OPQRSTUVWXYZ
abcdefghijklmnopqrstuvwxyz1234567890

587 GOMA WESTERN 2

1Byte

作者 ▸ Gomarice Font　URL ▸ http://gomaricefont.web.fc2.com

商用利用：OK

WinTT / MacTT / OpenType / MacPS

ABCDEFGHIJKLMN
OPQRSTUVWXYZ
ABCDEFGHIJKLMNOPQRSTUVWXYZ1234567890

588 OKUBA CLOUD

1Byte

作者 ▸ Gomarice Font　URL ▸ http://gomaricefont.web.fc2.com

商用利用：OK

WinTT / MacTT / OpenType / MacPS

ABCDEFGHIJKLMN
OPQRSTUVWXYZ
ABCDEFGHIJKLMNOPQRSTUVWXYZ1234567890

589 Coffee and Curry Shop

1Byte

作者 ▸ Gomarice Font　URL ▸ http://gomaricefont.web.fc2.com

商用利用：OK

WinTT / MacTT / OpenType / MacPS

ABCDEFGHIJKLMN
OPQRSTUVWXYZ
abcdefghijklmnopqrstuvwxyz1234567890

590 OLD BOOK

1Byte

作者 ▸ Gomarice Font　URL ▸ http://gomaricefont.web.fc2.com

商用利用：OK

WinTT / MacTT / OpenType / MacPS

ABCDEFGHIJKLMN
OPQRSTUVWXYZ
ABCDEFGHIJKLMNOPQRSTUVWXYZ

591 F5.6

1Byte

作者 ▸ Sora Sagano　URL ▸ https://dotcolon.net/

商用利用：OK

WinTT / MacTT / OpenType / MacPS

ABCDEFGHIJKLMN
OPQRSTUVWXYZ
abcdefghijklmnopqrstuvwxyz1234567890

デザイン

DESIGN

デザイン性の高いフォントや、一風変わったフォントなど

592 Logofontik

1Byte

作者▸ 4th february　URL▸ http://fonts.4thfebruary.com.ua/

商用利用：OK

WinTT / MacTT / OpenType / MacPS

593 Nowy Geroy 4F

1Byte

作者▸ 4th february　URL▸ http://fonts.4thfebruary.com.ua/

商用利用：OK

WinTT / MacTT / OpenType / MacPS

594 Yellow Jug

1Byte

作者▸ Alberto Betella　URL▸ http://www.yellowjug.com/

商用利用：OK

WinTT / MacTT / OpenType / MacPS

AbcdEfghiJklmn
Opqrstuvwxyz
aBCDeFGHiJKLMNoPQRSTuVWXYZ1234567890

595 dangerfont

1Byte

作者▸ Andreas Dymke　URL▸

商用利用：OK

WinTT / MacTT / OpenType / MacPS

596 RollandinEmilie

1Byte

作者▸ Archistico　URL▸ http://www.archistico.com/

商用利用：OK

WinTT / MacTT / OpenType / MacPS

STANDARD
COOL
POP
DESIGN

597 CANDY INC.
1Byte
作者 ▸ Billy Argel
URL ▸ https://billyargel.com/
商用利用：NG
WinTT
MacTT
OpenType
MacPS
598 Shadow of Xizor
1Byte
作者 ▸ Boba Fonts
URL ▸
商用利用：OK
WinTT
MacTT
OpenType
MacPS
599 Star Jedi
1Byte
作者 ▸ Boba Fonts
URL ▸
商用利用：OK
WinTT
MacTT
OpenType
MacPS
600 7-Segment Normal
1Byte
作者 ▸ Brynda1231
URL ▸
商用利用：OK
WinTT
MacTT
OpenType
MacPS
601 Egyptientto2
1Byte
作者 ▸ Bumbayo Font Fabrik
URL ▸ http://bumbayo.blogspot.jp/
商用利用：OK
WinTT
MacTT
OpenType
MacPS
ABCDEFGHIJKLMN
OPQRSTUVWXYZ
abcdefghijklmnopqrstuvwxyz1234567890
602 Fibyngerowa
1Byte
作者 ▸ Bumbayo Font Fabrik
URL ▸ http://bumbayo.blogspot.jp/
商用利用：OK
WinTT
MacTT
OpenType
MacPS

603 Karloff

1Byte

作者 ▸ Bumbayo Font Fabrik　URL ▸ http://bumbayo.blogspot.jp/

商用利用：OK

WinTT / MacTT / **OpenType** / MacPS

ABCDEFGHIJKLMN
OPQRSTUVWXYZ
abcdefghijklmnopqrstuvwxyz1234567890

604 KopanyicaStrasse

1Byte

作者 ▸ Bumbayo Font Fabrik　URL ▸ http://bumbayo.blogspot.jp/

商用利用：NG

WinTT / MacTT / **OpenType** / MacPS

605 Santa Gravita

1Byte

作者 ▸ Bumbayo Font Fabrik　URL ▸ http://bumbayo.blogspot.jp/

商用利用：OK

WinTT / MacTT / **OpenType** / MacPS

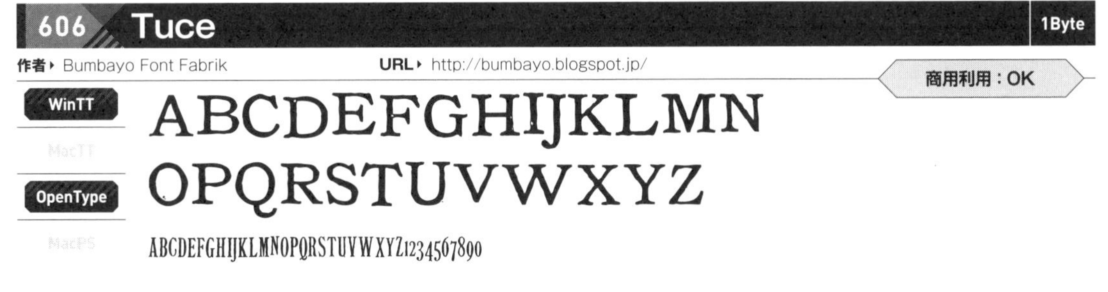

606 Tuce

1Byte

作者 ▸ Bumbayo Font Fabrik　URL ▸ http://bumbayo.blogspot.jp/

商用利用：OK

WinTT / MacTT / **OpenType** / MacPS

ABCDEFGHIJKLMN
OPQRSTUVWXYZ
ABCDEFGHIJKLMNOPQRSTUVWXYZ1234567890

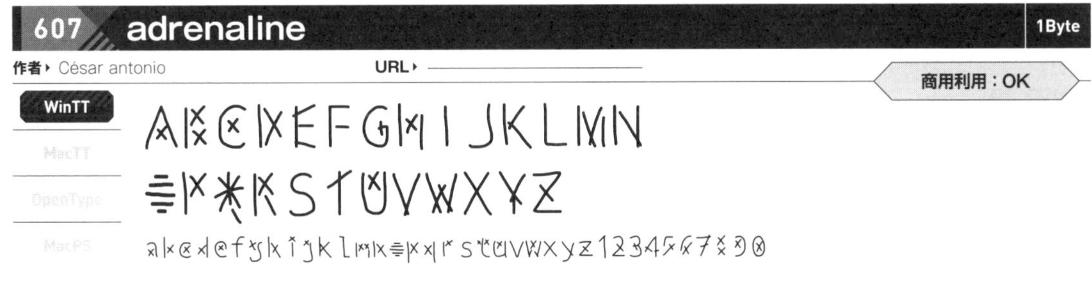

607 adrenaline

1Byte

作者 ▸ César antonio　URL ▸

商用利用：OK

WinTT / MacTT / OpenType / MacPS

608 crucifix

1Byte

作者 ▸ César antonio　URL ▸

商用利用：OK

WinTT / MacTT / OpenType / MacPS

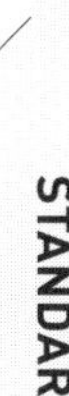

609 good positive
1Byte
作者 ▸ César antonio
URL ▸
商用利用：OK
WinTT
610 xtryme
1Byte
作者 ▸ César antonio
URL ▸
商用利用：OK
WinTT
611 Domestic Manners
1Byte
作者 ▸ Cheapskate Fonts
URL ▸
商用利用：OK
WinTT
612 Penguin Attack
1Byte
作者 ▸ Cheapskate Fonts
URL ▸
商用利用：OK
WinTT
613 Wargames
1Byte
作者 ▸ Cheapskate Fonts
URL ▸
商用利用：OK
WinTT
614 1 Font
1Byte
作者 ▸ Chris Hansen
URL ▸
商用利用：OK
WinTT
欧文FONT ▸ デザイン

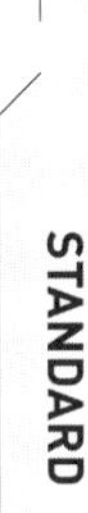

615 against myself

1Byte

作者▸ Chris Hansen　URL▸

商用利用：OK

WinTT / MacTT / OpenType / MacPS

616 Beyond Wonderland

1Byte

作者▸ Chris Hansen　URL▸

商用利用：OK

WinTT / MacTT / OpenType / MacPS

617 Cocaine Sans

1Byte

作者▸ Chris Hansen　URL▸

商用利用：OK

WinTT / MacTT / OpenType / MacPS

618 Dearest Dorothy

1Byte

作者▸ Chris Hansen　URL▸

商用利用：OK

WinTT / MacTT / OpenType / MacPS

619 Even Badder Mofo

1Byte

作者▸ Chris Hansen　URL▸

商用利用：OK

WinTT / MacTT / OpenType / MacPS

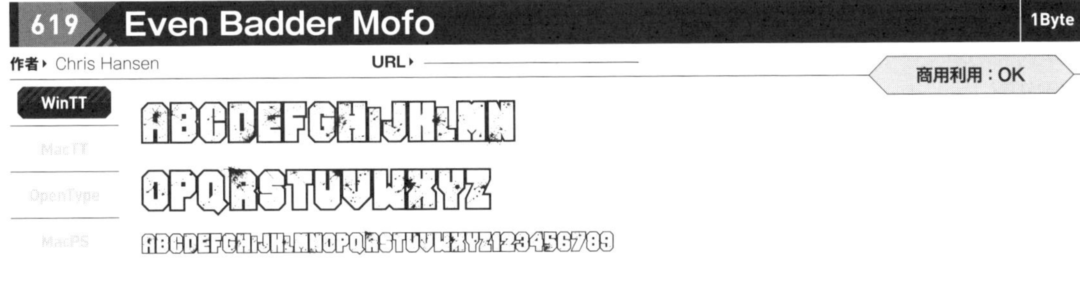

620 Frank Knows

1Byte

作者▸ Chris Hansen　URL▸

商用利用：OK

WinTT / MacTT / OpenType / MacPS

621 Got heroin?

1Byte

作者 ▸ Chris Hansen　URL ▸

商用利用：OK

WinTT / MacTT / OpenType / MacPS

622 If

1Byte

作者 ▸ Chris Hansen　URL ▸

商用利用：OK

WinTT / MacTT / OpenType / MacPS

623 Insert your name here

1Byte

作者 ▸ Chris Hansen　URL ▸

商用利用：OK

WinTT / MacTT / OpenType / MacPS

624 Living Hell

1Byte

作者 ▸ Chris Hansen　URL ▸

商用利用：OK

WinTT / MacTT / OpenType / MacPS

625 Nemo

1Byte

作者 ▸ Chris Hansen　URL ▸

商用利用：OK

WinTT / MacTT / OpenType / MacPS

626 Punk Kid

1Byte

作者 ▸ Chris Hansen　URL ▸

商用利用：OK

WinTT / MacTT / OpenType / MacPS

627 Shoguns Clan
1Byte

作者 ▸ Chris Hansen　URL ▸

商用利用：OK

WinTT / MacTT / OpenType / MacPS

ABCDEFGHIJKLMN
OPQRSTUVWXYZ
ABCDEFGHIJKLMNOPQRSTUVWXYZ1234567890

628 Straight Face
1Byte

作者 ▸ Chris Hansen　URL ▸

商用利用：OK

WinTT / MacTT / OpenType / MacPS

ABCDEFGHIJKLMN
OPQRSTUVWXYZ
ABCDEFGHIJKLMNOPQRSTUVWXYZ

629 Strange world
1Byte

作者 ▸ Chris Hansen　URL ▸

商用利用：OK

WinTT / MacTT / OpenType / MacPS

ABCDEFGHIJKLMN
OPQRSTUVWXYZ
ABCDEFGHIJKLMNOPQRSTUVWXYZ1234567890

630 The Battle Continuez
1Byte

作者 ▸ Chris Hansen　URL ▸

商用利用：OK

WinTT / MacTT / OpenType / MacPS

ABCDEFGHIJKLMN
OPQRSTUVWXYZ
ABCDEFGHIJKLMNOPQRSTUVWXYZ1234567890

631 Dream It
1Byte

作者 ▸ Chris Mise　URL ▸

商用利用：OK

WinTT / MacTT / OpenType / MacPS

ABCDEFGHIJKLMN
OPQRSTUVWXYZ
abcdefghijklmnopqrstuvwxyz1234567890

632 FancyText
1Byte

作者 ▸ Diogene　URL ▸

商用利用：OK

WinTT / MacTT / OpenType / MacPS

ABCDEFGHIJKLMN
OPQRSTUVWXYZ
abcdefghijklmnopqrstuvwxyz1234567890

633 Dinosaur Skin
1Byte
作者 ▸ Ekloff Design
URL ▸ http://www.ekloff.com/
商用利用：OK
WinTT
MacTT
OpenType
MacPS
634 Gotika
1Byte
作者 ▸ Extate
URL ▸
商用利用：OK
WinTT
MacTT
OpenType
MacPS

ABCDEFGHIJKLMN
OPRRSTUVWXYZ
abcdefghijklmnopqrstuvwxyz1234567890

635 Nabatea
1Byte
作者 ▸ Fernando Haro
URL ▸ http://defharo.com/
商用利用：OK
WinTT
MacTT
OpenType
MacPS
636 Qebrada
1Byte
作者 ▸ Fernando Haro
URL ▸ http://defharo.com/
商用利用：OK
WinTT
MacTT
OpenType
MacPS
637 FD Bateek
1Byte
作者 ▸ FlipDarius
URL ▸
商用利用：OK
WinTT
MacTT
OpenType
MacPS
638 FD Ilhoscript
1Byte
作者 ▸ FlipDarius
URL ▸
商用利用：OK
WinTT
MacTT
OpenType
MacPS

欧文FONT ▸ デザイン

639 PixAntiqua

1Byte

作者▸ Gerhard Großmann　URL▸ http://charakterziffer.github.io/

商用利用：OK

WinTT

640 GraphicPixel

1Byte

作者▸ Giorgio Catalisano　URL▸ http://rpgnaruto.forumcommunity.net/

商用利用：OK

WinTT

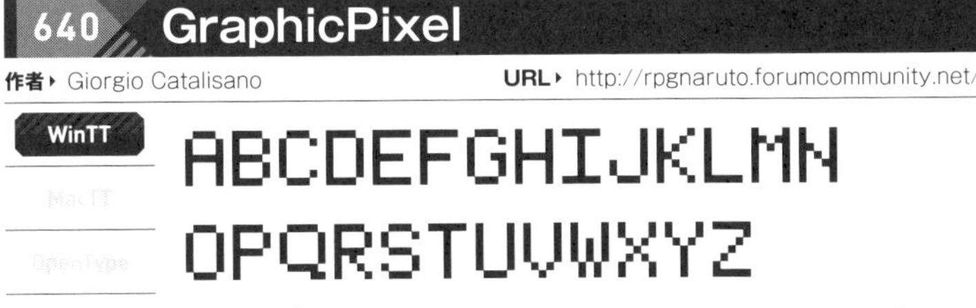

641 BroshK

1Byte

作者▸ gluk　URL▸ http://www.glukfonts.pl/

商用利用：OK

WinTT　OpenType

642 Charakterny

1Byte

作者▸ gluk　URL▸ http://www.glukfonts.pl/

商用利用：OK

OpenType

643 Dagerotypos

1Byte

作者▸ gluk　URL▸ http://www.glukfonts.pl/

商用利用：OK

WinTT　OpenType

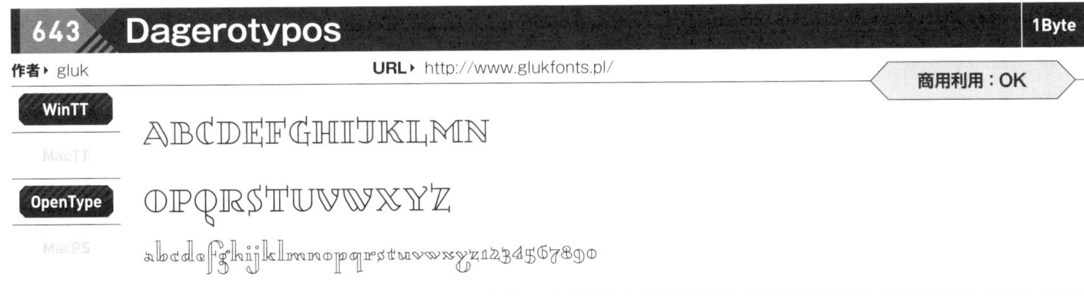

644 Etharnig

1Byte

作者▸ gluk　URL▸ http://www.glukfonts.pl/

商用利用：OK

OpenType

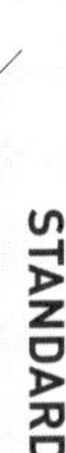

645 FoglihtenNo04 1Byte

作者 ▸ gluk　URL ▸ http://www.glukfonts.pl/　商用利用：OK

WinTT / MacTT / **OpenType** / MacPS

ABCDEFGHIJKLMN
OPQRSTUVWXYZ
abcdefghijklmnopqrstuvwxyz1234567890

646 FoglihtenNo07 1Byte

作者 ▸ gluk　URL ▸ http://www.glukfonts.pl/　商用利用：OK

WinTT / MacTT / **OpenType** / MacPS

ABCDEFGHIJKLMN
OPQRSTUVWXYZ
abcdefghijklmnopqrstuvwxyz1234567890

647 Galberik 1Byte

作者 ▸ gluk　URL ▸ http://www.glukfonts.pl/　商用利用：OK

WinTT / MacTT / **OpenType** / MacPS

ABCDEFGHIJKLMN
OPQRSTUVWXYZ
abcdefghijklmnopqrstuvwxyz1234567890

648 GarineldoSC 1Byte

作者 ▸ gluk　URL ▸ http://www.glukfonts.pl/　商用利用：OK

WinTT / MacTT / **OpenType** / MacPS

ABCDEFGHIJKLMN
OPQRSTUVWXYZ
ABCDEFGHIJKLMNOPQRSTUVWXYZ1234567890

649 GlukMixer 1Byte

作者 ▸ gluk　URL ▸ http://www.glukfonts.pl/　商用利用：OK

WinTT / MacTT / **OpenType** / MacPS

ABCDEFGHIJKLMN
OPQRSTUVWXYZ
abcdefghijklmnopqrstuvwxyz1234567890

650 itsadzokeS02 1Byte

作者 ▸ gluk　URL ▸ http://www.glukfonts.pl/　商用利用：OK

WinTT / MacTT / **OpenType** / MacPS

ABCDEFGHIJKLMN
OPQRSTUVWXYZ
ABCDEFGHIJKLMNOPQRSTUVWXYZ1234567890

651 Sportrop

1Byte

作者 ▸ gluk　URL ▸ http://www.glukfonts.pl/　商用利用：OK

WinTT / MacTT / OpenType / MacPS

ABCDEFGHIJKLMN
OPQRSTUVWXYZ
abcdefghijklmnopqrstuvwxyz1234567890

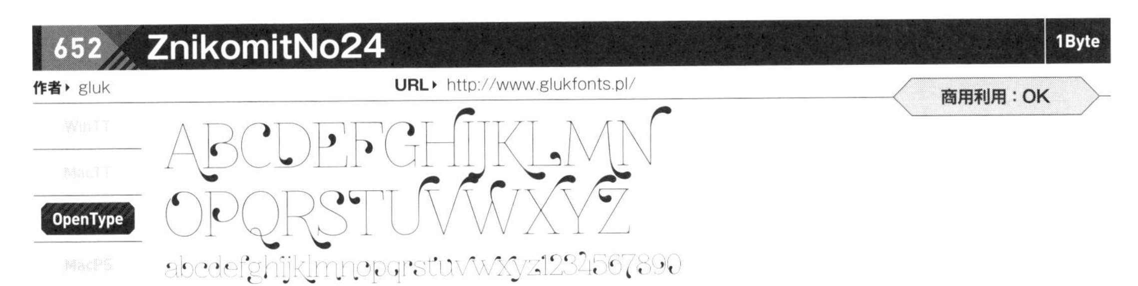

652 ZnikomitNo24

1Byte

作者 ▸ gluk　URL ▸ http://www.glukfonts.pl/　商用利用：OK

WinTT / MacTT / OpenType / MacPS

653 CheckerHat

1Byte

作者 ▸ Glyphobet Font Foundry　URL ▸ https://glyphobet.net/typography/　商用利用：OK

WinTT / MacTT / OpenType / MacPS

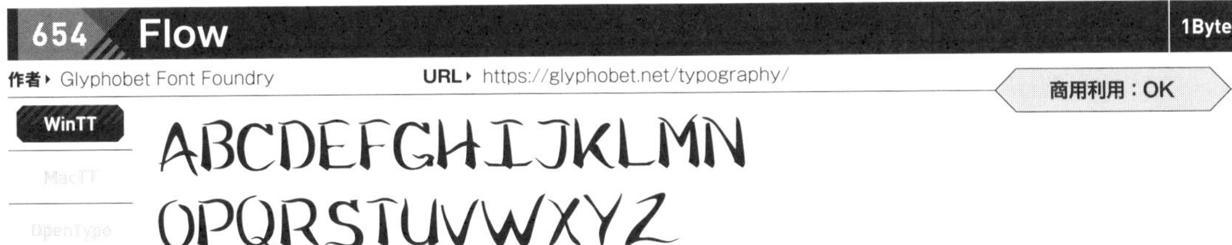

654 Flow

1Byte

作者 ▸ Glyphobet Font Foundry　URL ▸ https://glyphobet.net/typography/　商用利用：OK

WinTT / MacTT / OpenType / MacPS

655 J Random C

1Byte

作者 ▸ Glyphobet Font Foundry　URL ▸ https://glyphobet.net/typography/　商用利用：OK

WinTT / MacTT / OpenType / MacPS

ABCDEFGHIJKLMN
OPQRSTUVWXYZ
ABCDEFGHIJKLMNOPQRSTUVWXYZ1234567890

656 Psychotic Elephant

1Byte

作者 ▸ Glyphobet Font Foundry　URL ▸ https://glyphobet.net/typography/　商用利用：OK

WinTT / MacTT / OpenType / MacPS

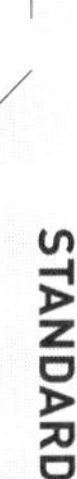

657 Rubbing Font
1Byte

作者▸ Glyphobet Font Foundry　URL▸ https://glyphobet.net/typography/

商用利用：OK

WinTT

ABCDEFGHIJKLMN
OPQRSTUVWXYZ
abcdefghijklmnopqrstuvwxyz1234567890

658 Shark
1Byte

作者▸ Glyphobet Font Foundry　URL▸ https://glyphobet.net/typography/

商用利用：OK

WinTT

ABCDEFGhiJKLMn
OPQRSTUVWXYZ
abcdefghijklmnopqrstuvwxyz1234567890

659 To Be Continued
1Byte

作者▸ Glyphobet Font Foundry　URL▸ https://glyphobet.net/typography/

商用利用：OK

WinTT

ABCDEFGHIJKLMN
OPQRSTUVWXYZ
ABCDEFGHIJKLMNOPQRSTUVWXYZ1234567890

660 Aceh Darusalam
1Byte

作者▸ Gunarta　URL▸ http://www.naraaksara.com/

商用利用：OK

WinTT

661 Awesome South Korea
1Byte

作者▸ Gunarta　URL▸ http://www.naraaksara.com/

商用利用：OK

WinTT

662 Balinese Family
1Byte

作者▸ Gunarta　URL▸ http://www.naraaksara.com/

商用利用：OK

WinTT

OpenType

663 Bimasakti
1Byte

作者 ▸ Gunarta　URL ▸ http://www.naraaksara.com/　商用利用：OK

WinTT / OpenType

664 Jawadwipa Adisastra
1Byte

作者 ▸ Gunarta　URL ▸ http://www.naraaksara.com/　商用利用：OK

WinTT / OpenType

665 Kopleng
1Byte

作者 ▸ Gunarta　URL ▸ http://www.naraaksara.com/　商用利用：OK

WinTT / OpenType

666 Mukadimah
1Byte

作者 ▸ Gunarta　URL ▸ http://www.naraaksara.com/　商用利用：OK

WinTT

667 Nurkholis
1Byte

作者 ▸ Gunarta　URL ▸ http://www.naraaksara.com/　商用利用：OK

WinTT

668 Revolusi Timur Tengah
1Byte

作者 ▸ Gunarta　URL ▸ http://www.naraaksara.com/　商用利用：OK

WinTT

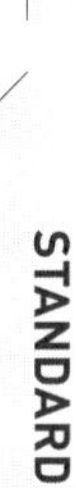

669 Siti Maesaroh
1Byte

作者 ▸ Gunarta　URL ▸ http://www.naraaksara.com/

商用利用：OK

OpenType

670 Syawal Khidmat
1Byte

作者 ▸ Gunarta　URL ▸ http://www.naraaksara.com/

商用利用：OK

WinTT

671 Zamrud & Khatulistiwa
1Byte

作者 ▸ Gunarta　URL ▸ http://www.naraaksara.com/

商用利用：OK

WinTT / OpenType

672 Atari
1Byte

作者 ▸ Gürkan Sengün　URL ▸ http://www.aiei.ch/gnustep/

商用利用：OK

WinTT

673 Biffe's Calligraphy
1Byte

作者 ▸ Holitter Studios　URL ▸ https://holitter.wixsite.com/holitter

商用利用：OK

WinTT

674 Cabal
1Byte

作者 ▸ Holitter Studios　URL ▸ https://holitter.wixsite.com/holitter

商用利用：OK

WinTT

675 DragonForcE

1Byte

作者▸ Holitter Studios　URL▸ https://holitter.wixsite.com/holitter

商用利用：OK

WinTT / MacTT / OpenType / MacPS

ABCDEFGHIJKLMN
OPQRSTUVWXYZ
abcdefghijklmnopqrstuvwxyz1234567890

676 GDS Infinity

1Byte

作者▸ Holitter Studios　URL▸ https://holitter.wixsite.com/holitter

商用利用：OK

WinTT / MacTT / OpenType / MacPS

ABCDEFGHIJKLMN
OPQRSTUVWXYZ
abcdefghijklmnopqrstuvwxyz1234567890

677 Holitter

1Byte

作者▸ Holitter Studios　URL▸ https://holitter.wixsite.com/holitter

商用利用：OK

WinTT / MacTT / OpenType / MacPS

ABCDEFGHIJKLMN
OPQRSTUVWXYZ
ABCDEFGHIJKLMNOPQRSTUVWXYZ1234567890

678 Holitter Circle

1Byte

作者▸ Holitter Studios　URL▸ https://holitter.wixsite.com/holitter

商用利用：OK

WinTT / MacTT / OpenType / MacPS

ABCDEFGHIJKLMN
OPQRSTUVWXYZ
abcdefghijklmnopqrstuvwxyz1234567890

679 Holitter Gothic

1Byte

作者▸ Holitter Studios　URL▸ https://holitter.wixsite.com/holitter

商用利用：OK

WinTT / MacTT / OpenType / MacPS

ABCDEFGHIJKLMN
OPQRSTUVWXYZ
abcdefghijklmnopqrstuvwxyz1234567890

680 Holitter Halfimp

1Byte

作者▸ Holitter Studios　URL▸ https://holitter.wixsite.com/holitter

商用利用：OK

WinTT / MacTT / OpenType / MacPS

ABCDEFGHIJKLMN
OPQRSTUVWXYZ
abcdefghijklmnopqrstuvwxyz1234567890

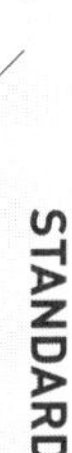

681 Holitter Hollow

1Byte

作者 ▸ Holitter Studios　URL ▸ https://holitter.wixsite.com/holitter

商用利用：OK

WinTT　MacTT　OpenType　MacPS

ABCDEFGHIJKLMN
OPQRSTUVWXYZ
abcdefghijklmnopqrstuvwxyz1234567890

682 Holitter Lines

1Byte

作者 ▸ Holitter Studios　URL ▸ https://holitter.wixsite.com/holitter

商用利用：OK

WinTT　MacTT　OpenType　MacPS

ABCDEFGHIJKLMN
OPQRSTUVWXYZ
abcdefghijklmnopqrstuvwxyz1234567890

683 Holitter Shadow

1Byte

作者 ▸ Holitter Studios　URL ▸ https://holitter.wixsite.com/holitter

商用利用：OK

WinTT　MacTT　OpenType　MacPS

ABCDEFGHIJKLMN
OPQRSTUVWXYZ
ABCDEFGHIJKLMNOPQRSTUVWXYZ1234567890

684 Holitter Titan

1Byte

作者 ▸ Holitter Studios　URL ▸ https://holitter.wixsite.com/holitter

商用利用：OK

WinTT　MacTT　OpenType　MacPS

ABCDEFGHIJKLMN
OPQRSTUVWXYZ
abcdefghijklmnopqrstuvwxyz1234567890

685 Holitter Tittanium

1Byte

作者 ▸ Holitter Studios　URL ▸ https://holitter.wixsite.com/holitter

商用利用：OK

WinTT　MacTT　OpenType　MacPS

ABCDEFGHIJKLMN
OPQRSTUVWXYZ
ABCDEFGHIJKLMNOPQRSTUVWXYZ1234567890

686 Soul Of Holitter Alternative

1Byte

作者 ▸ Holitter Studios　URL ▸ https://holitter.wixsite.com/holitter

商用利用：OK

WinTT　MacTT　OpenType　MacPS

ABCDEFGHIJKLMN
OPQRSTUVWXYZ
ABCDEFGHIJKLMNOPQRSTUVWXYZ1234567890

687 SoulCalibuR

1Byte

作者▸ Holitter Studios　URL▸ https://holitter.wixsite.com/holitter

商用利用：OK

688 Xenogears

1Byte

作者▸ Holitter Studios　URL▸ https://holitter.wixsite.com/holitter

商用利用：OK

689 Chronicles of Arkmar

1Byte

作者▸ Igor Armiach　URL▸

商用利用：OK

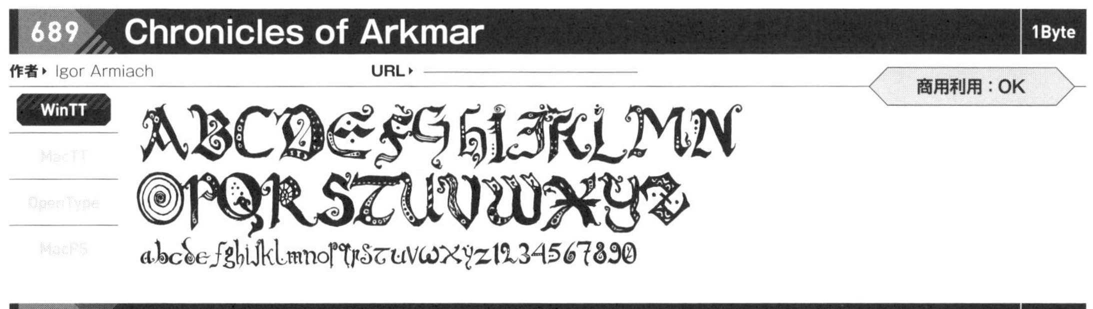

690 Lampoon

1Byte

作者▸ James Vipond　URL▸

商用利用：OK

691 Ringling

1Byte

作者▸ James Vipond　URL▸

商用利用：OK

692 Unity Titling

1Byte

作者▸ James Vipond　URL▸

商用利用：OK

693 Vipond Chubby

1Byte

作者▸ James Vipond　URL▸

商用利用：OK

WinTT

694 Vipond Octic

1Byte

作者▸ James Vipond　URL▸

商用利用：OK

WinTT

695 Look Sir, Droids

1Byte

作者▸ Jared Foster　URL▸

商用利用：OK

WinTT / OpenType

696 Rollover

1Byte

作者▸ Josh Bingham　URL▸

商用利用：OK

WinTT

697 Dited

1Byte

作者▸ Jovanny Lemonad　URL▸ http://www.jovanny.ru/

商用利用：OK

OpenType

698 FFU Puzzle

1Byte

作者▸ Jovanny Lemonad　URL▸ http://www.jovanny.ru/

商用利用：OK

OpenType

699 Hardpixel

1Byte

作者▸ Jovanny Lemonad　URL▸ http://www.jovanny.ru/

商用利用：OK

WinTT / MacTT / OpenType / MacPS

ABCDEFGHIJKLMN
OPQRSTUVWXYZ
abcdefghijklmnopqrstuvwxyz1234567890

700 Imperial One

1Byte

作者▸ Jovanny Lemonad　URL▸ http://www.jovanny.ru/

商用利用：OK

WinTT / MacTT / OpenType / MacPS

abcdefghijklmnopqrstuvwxyz1234567890

701 London One

1Byte

作者▸ Jovanny Lemonad　URL▸ http://www.jovanny.ru/

商用利用：OK

WinTT / MacTT / OpenType / MacPS

ABCDEFGHIJKLMN
OPQRSTUVWXYZ
ABCDEFGHIJKLMNOPQRSTUVWXYZ1234567890

702 Metro

1Byte

作者▸ Jovanny Lemonad　URL▸ http://www.jovanny.ru/

商用利用：OK

WinTT / MacTT / OpenType / MacPS

ABCDEFGHIJKLMN
OPQRSTUVWXYZ
ABCDEFGHIJKLMNOPQRSTUVWXYZ1234567890

703 Neucha

1Byte

作者▸ Jovanny Lemonad　URL▸ http://www.jovanny.ru/

商用利用：OK

WinTT / MacTT / OpenType / MacPS

ABCDEFGHIJKLMN
OPQRSTUVWXYZ
abcdefghijklmnopqrstuvwxyz1234567890

704 Subatomic Screen

1Byte

作者▸ Kevin Meinert　URL▸

商用利用：OK

WinTT / MacTT / OpenType / MacPS

ABCDEFGHIJKLMN
OPQRSTUVWXYZ
abcdefghijklmnopqrstuvwxyz1234567890

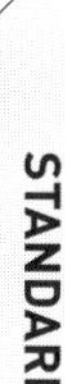

STANDARD
COOL
POP
DESIGN

705 Bwahh

1Byte

作者 ▸ KineticPlasma Fonts　URL ▸ http://cannotintospacefonts.blogspot.com/

商用利用：OK

WinTT

ABCDEFGHIJKLMN
OPQRSTUVWXYZ
abcdefghijklmnopqrstuvwxyz1234567890

706 errOr

1Byte

作者 ▸ KineticPlasma Fonts　URL ▸ http://cannotintospacefonts.blogspot.com/

商用利用：OK

OpenType

ABCDEFGHIJKLMN
OPQRSTUVWXYZ
ABCDEFGHIJKLMNOPQRSTUVWXYZ1234567890

707 RDJ-Hand

1Byte

作者 ▸ KineticPlasma Fonts　URL ▸ http://cannotintospacefonts.blogspot.com/

商用利用：OK

OpenType

ABCDEFGHIJKLMN
OPQRSTUVWXYZ
abcdefghijklmnopqrstuvwxyz1234567890

708 Retroscape II

1Byte

作者 ▸ KineticPlasma Fonts　URL ▸ http://cannotintospacefonts.blogspot.com/

商用利用：OK

WinTT

ABCDEFGHIJKLMN
OPQRSTUVWXYZ
1234567890

709 KonKhmer_FireBall PJ

1Byte

作者 ▸ KonKhmer　URL ▸

商用利用：OK

WinTT

ABCDEFGHIJKLMN
OPQRSTUVWXYZ
abcdefghijklmnopqrstuvwxyz1234567890

710 KonKhmer_S-Phanith1

1Byte

作者 ▸ KonKhmer　URL ▸

商用利用：OK

WinTT

ABCDEFGHIJKLMN
OPQRSTUVWXYZ
abcdefghijklmnopqrstuvwxyz1234567890

711 KonKhmer_S-Phanith2
1Byte

作者▸ KonKhmer URL▸

商用利用：OK

WinTT MacTT OpenType MacPS

712 Kurzwaren
1Byte

作者▸ Lana Bragina URL▸ http://www.ulani.de/

商用利用：OK

WinTT MacTT OpenType MacPS

713 Dark Garden
1Byte

作者▸ Michał Kosmulski URL▸ http://darkgarden.sourceforge.net/

商用利用：OK

WinTT MacTT OpenType MacPS

714 Banten Unfamous
1Byte

作者▸ Mikrojihad Restricted URL▸

商用利用：OK

WinTT MacTT OpenType MacPS

715 Mizike
1Byte

作者▸ mizike URL▸

商用利用：OK

WinTT MacTT OpenType MacPS

716 {PixelFlag}
1Byte

作者▸ NAL URL▸ http://nalgames.com/

商用利用：OK

WinTT MacTT OpenType MacPS

717 Berate The Elementary

1Byte

作者 ▸ NAL　URL ▸ http://nalgames.com/

商用利用：OK

WinTT / MacTT / OpenType / MacPS

ABCDEFGHIJKLMN
OPQRSTUVWXYZ
ABCDEFGHIJKLMNOPQRSTUVWXYZ1234567890

718 Bevel Fifteen

1Byte

作者 ▸ NAL　URL ▸ http://nalgames.com/

商用利用：OK

WinTT / MacTT / OpenType / MacPS

ABCDEFGHIJKLMN
OPQRSTUVWXYZ
abcdefghijklmnopqrstuvwxyz1234567890

719 Cauterise

1Byte

作者 ▸ NAL　URL ▸ http://nalgames.com/

商用利用：OK

WinTT / MacTT / OpenType / MacPS

ABCDEFGHIJKLMN
OPQRSTUVWXYZ
ABCDEFGHIJKLMNOPQRSTUVWXYZ1234567890

720 Coder's Crux

1Byte

作者 ▸ NAL　URL ▸ http://nalgames.com/

商用利用：OK

WinTT / MacTT / OpenType / MacPS

ABCDEFGHIJKLMN
OPQRSTUVWXYZ
abcdefghijklmnopqrstuvwxyz1234567890

721 Dead Font Walking

1Byte

作者 ▸ NAL　URL ▸ http://nalgames.com/

商用利用：OK

WinTT / MacTT / OpenType / MacPS

ABCDEFGHIJKLMN
OPQRSTUVWXYZ
ABCDEFGHIJKLMNOPQRSTUVWXYZ1234567890

722 DEADCRT

1Byte

作者 ▸ NAL　URL ▸ http://nalgames.com/

商用利用：OK

WinTT / MacTT / OpenType / MacPS

ABCDEFGHIJKLMN
OPQRSTUVWXYZ
ABCDEFGHIJKLMNOPQRSTUVWXYZ1234567890

723 Effortless Tattoo
1Byte
作者 ▸ NAL
URL ▸ http://nalgames.com/
商用利用：NG
WinTT
MacTT
OpenType
MacPS
724 Heart Breaking Bad
1Byte
作者 ▸ NAL
URL ▸ http://nalgames.com/
商用利用：OK
WinTT
MacTT
OpenType
MacPS
H He Li Be B C N O F Ne Na Mg Al Si P S
Cl Ar K Ca Sc Ti V Cr Mn Fe Co Ni Cu Zn Ga Ge
abcdefghijklmnopqrstuvwxyz
725 Italic Bricks
1Byte
作者 ▸ NAL
URL ▸ http://nalgames.com/
商用利用：OK
WinTT
MacTT
OpenType
MacPS
ABCDEFGHIJKLMN
OPQRSTUVWXYZ
ABCDEFGHIJKLMNOPQRSTUVWXYZ1234567890
726 Kill The Noise
1Byte
作者 ▸ NAL
URL ▸ http://nalgames.com/
商用利用：OK
WinTT
MacTT
OpenType
MacPS
727 Lord Juusai
1Byte
作者 ▸ NAL
URL ▸ http://nalgames.com/
商用利用：OK
WinTT
MacTT
OpenType
MacPS
728 Metal Arhythmetic
1Byte
作者 ▸ NAL
URL ▸ http://nalgames.com/
商用利用：OK
WinTT
MacTT
OpenType
MacPS
STANDARD
COOL
POP
DESIGN

729 Minecraft Evenings

1Byte

作者▸ NAL　URL▸ http://nalgames.com/

商用利用：OK

WinTT / MacTT / **OpenType** / MacPS

ABCDEFGHIJKLMN
OPQRSTUVWXYZ
ABCDEFGHIJKLMNOPQRSTUVWXYZ1234567890

730 Nero

1Byte

作者▸ NAL　URL▸ http://nalgames.com/

商用利用：OK

WinTT / MacTT / **OpenType** / MacPS

ABCDEFGHIJKLMN
OPQRSTUVWXYZ
ABCDEFGHIJKLMNOPQRSTUVWXYZ1234567890

731 Notalot25

1Byte

作者▸ NAL　URL▸ http://nalgames.com/

商用利用：OK

WinTT / MacTT / OpenType / MacPS

ABCDEFGHIJKLMN
OPQRSTUVWXYZ
abcdefghijklmnopqrstuvwxyz1234567890

732 Notalot35

1Byte

作者▸ NAL　URL▸ http://nalgames.com/

商用利用：OK

WinTT / MacTT / OpenType / MacPS

ABCDEFGHIJKLMN
OPQRSTUVWXYZ
abcdefghijklmnopqrstuvwxyz1234567890

733 Overdrive Sunset

1Byte

作者▸ NAL　URL▸ http://nalgames.com/

商用利用：OK

WinTT / MacTT / **OpenType** / MacPS

ABCDEFGHIJKLMN
OPQRSTUVWXYZ
ABCDEFGHIJKLMNOPQRSTUVWXYZ1234567890

734 Particulator

1Byte

作者▸ NAL　URL▸ http://nalgames.com/

商用利用：OK

WinTT / MacTT / OpenType / MacPS

abcdefghijklmn
opqrstuvwxyz
abcdefghijklmnopqrstuvwxyz1234567890

735 Rocky Road

1Byte

作者▸ NAL　URL▸ http://nalgames.com/　商用利用：NG

WinTT / MacTT / **OpenType** / MacPS

736 Savantism

1Byte

作者▸ NAL　URL▸ http://nalgames.com/　商用利用：OK

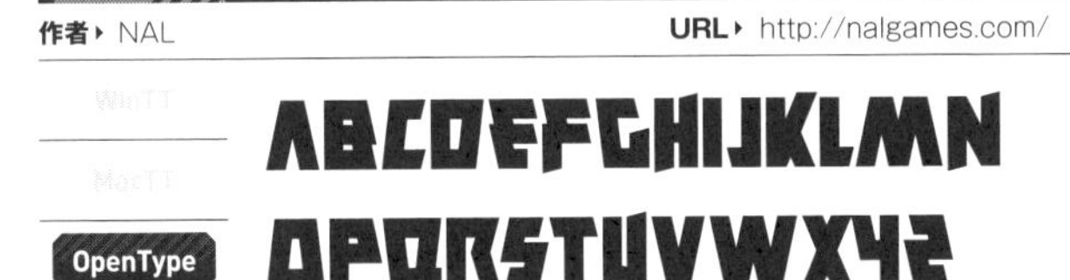

WinTT / MacTT / **OpenType** / MacPS

737 Sorrier Statements

1Byte

作者▸ NAL　URL▸ http://nalgames.com/　商用利用：OK

WinTT / MacTT / OpenType / MacPS

738 Zephyr Jubilee

1Byte

作者▸ NAL　URL▸ http://nalgames.com/　商用利用：OK

WinTT / MacTT / OpenType / MacPS

739 Cake Frosting

1Byte

作者▸ Neil Van Ess　URL▸ ――　商用利用：OK

WinTT / MacTT / OpenType / MacPS

740 Angleblock

1Byte

作者▸ Nik Coughlin　URL▸ ――　商用利用：OK

WinTT / MacTT / OpenType / MacPS

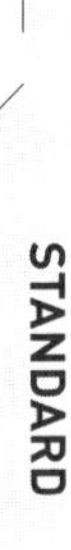

741 Neonclipper

1Byte

作者 ▸ NimaVisual　URL ▸ https://nimatype.co/

商用利用：OK

WinTT / MacTT / OpenType / MacPS

ABCDEFGHIJKLMN
OPQRSTUVWXYZ
abcdefghijklmnopqrstuvwxyz1234567890

742 Beeeer

1Byte

作者 ▸ Noe Araujo　URL ▸ http://noearaujo.com/

商用利用：OK

WinTT / MacTT / OpenType / MacPS

ABCDEFGHIJKLMN
OPQRSTUVWXYZ
ABCDEFGHIJKLMNOPQRSTUVWXYZ1234567890

743 New Theory

1Byte

作者 ▸ Noe Araujo　URL ▸ http://noearaujo.com/

商用利用：OK

WinTT / MacTT / OpenType / MacPS

ABCDEFGHIJKLMN
OPQRSTUVWXYZ
ABCDEFGHIJKLMNOPQRSTUVWXYZ1234567890

744 Fixed_bold

1Byte

作者 ▸ Orgdot　URL ▸ http://www.orgdot.com/aliasfonts/

商用利用：OK

WinTT / MacTT / OpenType / MacPS

ABCDEFGHIJKLMN
OPQRSTUVWXYZ
abcdefghijklmnopqrstuvwxyz1234567890

745 Fixed_v01

1Byte

作者 ▸ Orgdot　URL ▸ http://www.orgdot.com/aliasfonts/

商用利用：OK

WinTT / MacTT / OpenType / MacPS

ABCDEFGHIJKLMN
OPQRSTUVWXYZ
abcdefghijklmnopqrstuvwxyz1234567890

746 Fixed_v03

1Byte

作者 ▸ Orgdot　URL ▸ http://www.orgdot.com/aliasfonts/

商用利用：OK

WinTT / MacTT / OpenType / MacPS

ABCDEFGHIJKLMN
OPQRSTUVWXYZ
abcdefghijklmnopqrstuvwxyz1234567890

747 Genown

1Byte

作者 ▸ Orgdot　URL ▸ http://www.orgdot.com/aliasfonts/

商用利用：OK

WinTT　MacTT　OpenType　MacPS

748 Kharon 4a

1Byte

作者 ▸ Orgdot　URL ▸ http://www.orgdot.com/aliasfonts/

商用利用：OK

WinTT　MacTT　OpenType　MacPS

ABCDEFGHIJKLMN
OPQRSTUVWXYZ
abcdefghijklmnopqrstuvwxyz1234567890

749 Org_v01

1Byte

作者 ▸ Orgdot　URL ▸ http://www.orgdot.com/aliasfonts/

商用利用：OK

WinTT　MacTT　OpenType　MacPS

750 Swf!t

1Byte

作者 ▸ Orgdot　URL ▸ http://www.orgdot.com/aliasfonts/

商用利用：OK

WinTT　MacTT　OpenType　MacPS

751 Teachers Pet

1Byte

作者 ▸ Orgdot　URL ▸ http://www.orgdot.com/aliasfonts/

商用利用：OK

WinTT　MacTT　OpenType　MacPS

ABCDEFGHIJKLMN
OPQRSTUVWXYZ
abcdefghijklmnopqrstuvwxyz1234567890

752 Teachers Pet Sans Serif

1Byte

作者 ▸ Orgdot　URL ▸ http://www.orgdot.com/aliasfonts/

商用利用：OK

WinTT　MacTT　OpenType　MacPS

ABCDEFGHIJKLMN
OPQRSTUVWXYZ
abcdefghijklmnopqrstuvwxyz1234567890

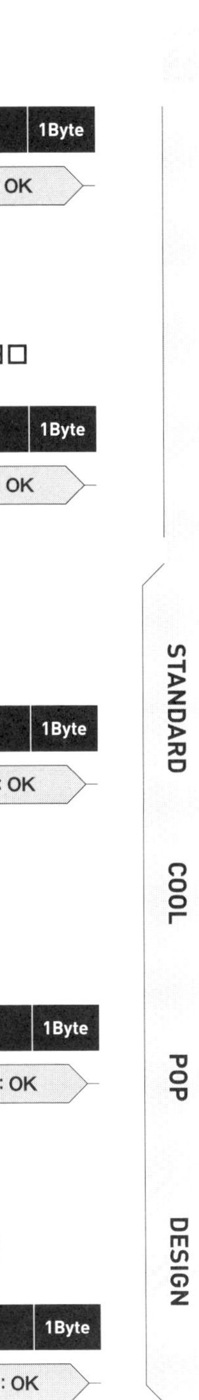

753 Decomposition phase 1
1Byte
作者▸ Peax Webdesign
URL▸ http://www.peax-webdesign.com/
商用利用：OK
WinTT
MacTT
OpenType
MacPS
ABCDEFGHIJKLMN
OPQRSTUVWXYZ
abcdefghijklmnopqrstuvwxyz 1234567890
754 PW Joyeux Noel
1Byte
作者▸ Peax Webdesign
URL▸ http://www.peax-webdesign.com/
商用利用：OK
WinTT
MacTT
OpenType
MacPS
ABCDEFGHIJKLMN
OPQRSTUVWXYZ
ABCDEFGHIJKLMNOPQRSTUVWXYZ1234567890
755 PWPerspective
1Byte
作者▸ Peax Webdesign
URL▸ http://www.peax-webdesign.com/
商用利用：OK
WinTT
MacTT
OpenType
MacPS
ABCDEFGHIJKLMN
OPQRSTUVWXYZ
1234567890
756 PWSignaturetwo
1Byte
作者▸ Peax Webdesign
URL▸ http://www.peax-webdesign.com/
商用利用：OK
WinTT
MacTT
OpenType
MacPS
757 18th Century Kurrent
1Byte
作者▸ Peter Wiegel
URL▸ http://www.peter-wiegel.de/
商用利用：OK
WinTT
MacTT
OpenType
MacPS
758 Amptmann Script
1Byte
作者▸ Peter Wiegel
URL▸ http://www.peter-wiegel.de/
商用利用：OK
WinTT
MacTT
OpenType
MacPS
ABCDEFGHIJKLMN
OPQRSTUVWXYZ
abcdefghijklmnopqrstuvwxyz1234567890

759 Apollo ASM

1Byte

作者▸ Peter Wiegel　URL▸ http://www.peter-wiegel.de/

商用利用：OK

WinTT　MacTT　OpenType　MacPS

ABCDEFGHIJKLMN
OPQRSTUVWXYZ
abcdefghijklmnopqrstuvwxyz1234567890

760 Avocado

1Byte

作者▸ Peter Wiegel　URL▸ http://www.peter-wiegel.de/

商用利用：OK

WinTT　MacTT　OpenType　MacPS

ABCDEFGHIJKLMN
OPQRSTUVWXYZ
abcdefghijklmnopqrstuvwxyz1234567890

761 Bad Gong

1Byte

作者▸ Peter Wiegel　URL▸ http://www.peter-wiegel.de/

商用利用：OK

WinTT　MacTT　OpenType　MacPS

ABCDEFGHIJKLMN
OPQRSTUVWXYZ
abcdefghijklmnopqrstuvwxyz1234567890

762 Bertholdr Mainzer Fraktur

1Byte

作者▸ Peter Wiegel　URL▸ http://www.peter-wiegel.de/

商用利用：OK

WinTT　MacTT　OpenType　MacPS

ABCDEFGHIJKLMN
OPQRSTUVWXYZ
abcdefghijklmnopqrstuvwxyz1234567890

763 Blankenburg

1Byte

作者▸ Peter Wiegel　URL▸ http://www.peter-wiegel.de/

商用利用：OK

WinTT　MacTT　OpenType　MacPS

ABCDEFGHIJKLMN
OPQRSTUVWXYZ
abcdefghijklmnopqrstuvwxyz1234567890

764 Border Control

1Byte

作者▸ Peter Wiegel　URL▸ http://www.peter-wiegel.de/

商用利用：OK

WinTT　MacTT　OpenType　MacPS

ABCDEFGHIJKLMN
OPQRSTUVWXYZ
ABCDEFGHIJKLMNOPQRSTUVWXYZ1234567890

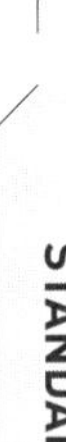

765 CAT Zentenaer Fraktur UNZ1

1Byte

作者 ▸ Peter Wiegel　URL ▸ http://www.peter-wiegel.de/

商用利用：OK

WinTT / MacTT / OpenType / MacPS

766 cbe

1Byte

作者 ▸ Peter Wiegel　URL ▸ http://www.peter-wiegel.de/

商用利用：OK

WinTT / MacTT / OpenType / MacPS

767 Centre Claws

1Byte

作者 ▸ Peter Wiegel　URL ▸ http://www.peter-wiegel.de/

商用利用：OK

WinTT / MacTT / OpenType / MacPS

768 Contgen Kanzley

1Byte

作者 ▸ Peter Wiegel　URL ▸ http://www.peter-wiegel.de/

商用利用：OK

WinTT / MacTT / OpenType / MacPS

769 Cut Me Out

1Byte

作者 ▸ Peter Wiegel　URL ▸ http://www.peter-wiegel.de/

商用利用：OK

WinTT / MacTT / OpenType / MacPS

770 DiffiKult

1Byte

作者 ▸ Peter Wiegel　URL ▸ http://www.peter-wiegel.de/

商用利用：OK

WinTT / MacTT / OpenType / MacPS

771 Ehmcke Federfraktur
1Byte
作者 Peter Wiegel
URL http://www.peter-wiegel.de/
商用利用：OK
WinTT
772 Ehmcke Schwabacher
1Byte
作者 Peter Wiegel
URL http://www.peter-wiegel.de/
商用利用：OK
WinTT
773 Elfic Caslin
1Byte
作者 Peter Wiegel
URL http://www.peter-wiegel.de/
商用利用：OK
WinTT
774 Fette UNZ Fraktur
1Byte
作者 Peter Wiegel
URL http://www.peter-wiegel.de/
商用利用：OK
WinTT
775 flottflott
1Byte
作者 Peter Wiegel
URL http://www.peter-wiegel.de/
商用利用：OK
WinTT
776 Friedolin
1Byte
作者 Peter Wiegel
URL http://www.peter-wiegel.de/
商用利用：OK
WinTT
STANDARD
COOL
POP
DESIGN
143

777 Goeschen Fraktur UNZ1A

1Byte

作者 ▸ Peter Wiegel　URL ▸ http://www.peter-wiegel.de/

商用利用：OK

WinTT / MacTT / OpenType / MacPS

ABCDEFGHIJKLMN
OPQRSTUVWXYZ
abcdefghijklmnopqrstuvwxyz1234567890

778 Gondrin

1Byte

作者 ▸ Peter Wiegel　URL ▸ http://www.peter-wiegel.de/

商用利用：OK

WinTT / MacTT / OpenType / MacPS

ABCDEFGHIJKLMN
OPQRSTUVWXYZ
abcdefghijklmnopqrstuvwxyz1234567890

779 Gotisch Weiss UNZ1A

1Byte

作者 ▸ Peter Wiegel　URL ▸ http://www.peter-wiegel.de/

商用利用：OK

WinTT / MacTT / OpenType / MacPS

ABCDEFGHIJKLMN
OPQRSTUVWXYZ
abcdefghijklmnopqrstuvwxyz1234567890

780 Gotische Missalschrift

1Byte

作者 ▸ Peter Wiegel　URL ▸ http://www.peter-wiegel.de/

商用利用：OK

WinTT / MacTT / OpenType / MacPS

ABCDEFGHIJKLMN
OPQRSTUVWXYZ
abcdefghijklmnopqrstuvwxyz1234567890

781 Greifswalder Tengwar

1Byte

作者 ▸ Peter Wiegel　URL ▸ http://www.peter-wiegel.de/

商用利用：OK

WinTT / MacTT / OpenType / MacPS

782 Greifswaler Deutsche Schrift

1Byte

作者 ▸ Peter Wiegel　URL ▸ http://www.peter-wiegel.de/

商用利用：OK

WinTT / MacTT / OpenType / MacPS

ABCDEFGHIJKLMN
OPQRSTUVWXYZ
abcdefghijklmnopqrstuvwxyz1234567890

783 Grobe Deutschmeister

1Byte

作者▸ Peter Wiegel　URL▸ http://www.peter-wiegel.de/

商用利用：OK

WinTT　MacTT　OpenType　MacPS

ABCDEFGHIJKLMN
OPQRSTUVWXYZ
abcdefghijklmnopqrstuvwxyz1234567890

784 H1N1

1Byte

作者▸ Peter Wiegel　URL▸ http://www.peter-wiegel.de/

商用利用：OK

WinTT　MacTT　OpenType　MacPS

ABCDEFGHIJKLMN
OPQRSTUVWXYZ
ABCDEFGHIJKLMNOPQRSTUVWXYZ1234567890

785 Hand Textur

1Byte

作者▸ Peter Wiegel　URL▸ http://www.peter-wiegel.de/

商用利用：OK

WinTT　MacTT　OpenType　MacPS

ABCDEFGHIJKLMN
OPQRSTUVWXYZ
abcdefghijklmnopqrstuvwxyz1234567890

786 Klaber Fraktur

1Byte

作者▸ Peter Wiegel　URL▸ http://www.peter-wiegel.de/

商用利用：OK

WinTT　MacTT　OpenType　MacPS

ABCDEFGHIJKLMN
OPQRSTUVWXYZ
abcdefghijklmnopqrstuvwxyz1234567890

787 Koch Fette Deutsche Schrift UNZ1A

1Byte

作者▸ Peter Wiegel　URL▸ http://www.peter-wiegel.de/

商用利用：OK

WinTT　MacTT　OpenType　MacPS

ABCDEFGHIJKLMN
OPQRSTUVWXYZ
abcdefghijklmnopqrstuvwxyz1234567890

788 Leipzig Fraktur

1Byte

作者▸ Peter Wiegel　URL▸ http://www.peter-wiegel.de/

商用利用：OK

WinTT　MacTT　OpenType　MacPS

ABCDEFGHIJKLMN
OPQRSTUVWXYZ
abcdefghijklmnopqrstuvwxyz1234567890

789 Leipzig Fraktur UNZ1A

1Byte

作者▸ Peter Wiegel　URL▸ http://www.peter-wiegel.de/

商用利用：OK

WinTT / MacTT / OpenType / MacPS

ABCDEFGHIJKLMN
OPQRSTUVWXYZ
abcdefghijklmnopqrstuvwxyz1234567890

790 Luxembourg 1910

1Byte

作者▸ Peter Wiegel　URL▸ http://www.peter-wiegel.de/

商用利用：OK

WinTT / MacTT / OpenType / MacPS

791 Makushka

1Byte

作者▸ Peter Wiegel　URL▸ http://www.peter-wiegel.de/

商用利用：OK

WinTT / MacTT / OpenType / MacPS

792 Manuskript Gothisch

1Byte

作者▸ Peter Wiegel　URL▸ http://www.peter-wiegel.de/

商用利用：OK

WinTT / MacTT / OpenType / MacPS

793 Moderne Schwabacher

1Byte

作者▸ Peter Wiegel　URL▸ http://www.peter-wiegel.de/

商用利用：OK

WinTT / MacTT / OpenType / MacPS

794 Morado

1Byte

作者▸ Peter Wiegel　URL▸ http://www.peter-wiegel.de/

商用利用：OK

WinTT / MacTT / OpenType / MacPS

ABCDEFGHIJKLMN
OPQRSTUVWXYZ
abcdefghijklmnopqrstuvwxyz1234567890

ABCDEFGHIJKLMN
OPQRSTUVWXYZ
abcdefghijklmnopqrstuvwxyz1234567890

795 Murrx

1Byte

作者▸ Peter Wiegel　URL▸ http://www.peter-wiegel.de/

商用利用：OK

WinTT / MacTT / OpenType / MacPS

ABCDEFGHIJKLMN
OPQRSTUVWXYZ
abcdefghijklmnopqrstuvwxyz1234567890

796 Nomitais

1Byte

作者▸ Peter Wiegel　URL▸ http://www.peter-wiegel.de/

商用利用：OK

WinTT / MacTT / OpenType / MacPS

ABCDEFGHIJKLMN
OPQRSTUVWXYZ
ABCDEFGHIJKLMNOPQRSTUVWXYZ1234567890

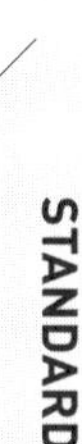

797 Ottilie U1AY

1Byte

作者▸ Peter Wiegel　URL▸ http://www.peter-wiegel.de/

商用利用：OK

WinTT / MacTT / OpenType / MacPS

ABCDEFGHIJKLMN
OPQRSTUVWXYZ
abcdefghijklmnopqrstuvwxyz1234567890

798 Quast

1Byte

作者▸ Peter Wiegel　URL▸ http://www.peter-wiegel.de/

商用利用：OK

WinTT / MacTT / OpenType / MacPS

ABCDEFGHIJKLMN
OPQRSTUVWXYZ
ABCDEFGHIJKLMNOPQRSTUVWXYZ1234567890

799 Rastenburg

1Byte

作者▸ Peter Wiegel　URL▸ http://www.peter-wiegel.de/

商用利用：OK

WinTT / MacTT / OpenType / MacPS

ABCDEFGHIJKL
MNOPQRSTUV
abcdefghijklmnopqrstuvwxyz1234567890

800 Regent UNZ

1Byte

作者▸ Peter Wiegel　URL▸ http://www.peter-wiegel.de/

商用利用：OK

WinTT / MacTT / OpenType / MacPS

ABCDEFGHIJKLMN
OPQRSTUVWXYZ
abcdefghijklmnopqrstuvwxyz1234567890

801 Ring Matrix

1Byte

作者▸ Peter Wiegel　URL▸ http://www.peter-wiegel.de/

商用利用：OK

WinTT / MacTT / OpenType / MacPS

ABCDEFGHIJKLMN ABCDEFGHIJKLMN
OPQRSTUVWXYZ OPQRSTUVWXYZ
abcdefghijklmnopqrstuvwxyz1234567890 abcdefghijklmnopqrstuvwxyz1234567890

802 Rostock Kaligraph

1Byte

作者▸ Peter Wiegel　URL▸ http://www.peter-wiegel.de/

商用利用：OK

WinTT / MacTT / OpenType / MacPS

ABCDEFGHIJKLMN
OPQRSTUVWXYZ
abcdefghijklmnopqrstuvwxyz1234567890

803 Rotunda Pommerania

1Byte

作者▸ Peter Wiegel　URL▸ http://www.peter-wiegel.de/

商用利用：OK

WinTT / MacTT / OpenType / MacPS

ABCDEFGHIJKLMN
OPQRSTUVWXYZ
abcdefghijklmnopqrstuvwxyz1234567890

804 Simple Print

1Byte

作者▸ Peter Wiegel　URL▸ http://www.peter-wiegel.de/

商用利用：OK

WinTT / MacTT / OpenType / MacPS

ABCDEFGHIJKLMN
OPQRSTUVWXYZ
abcdefghijklmnopqrstuvwxyz1234567890

805 Strassburg Fraktur

1Byte

作者▸ Peter Wiegel　URL▸ http://www.peter-wiegel.de/

商用利用：OK

WinTT / MacTT / OpenType / MacPS

806 Tengwar Optime

1Byte

作者▸ Peter Wiegel　URL▸ http://www.peter-wiegel.de/

商用利用：OK

WinTT / MacTT / OpenType / MacPS

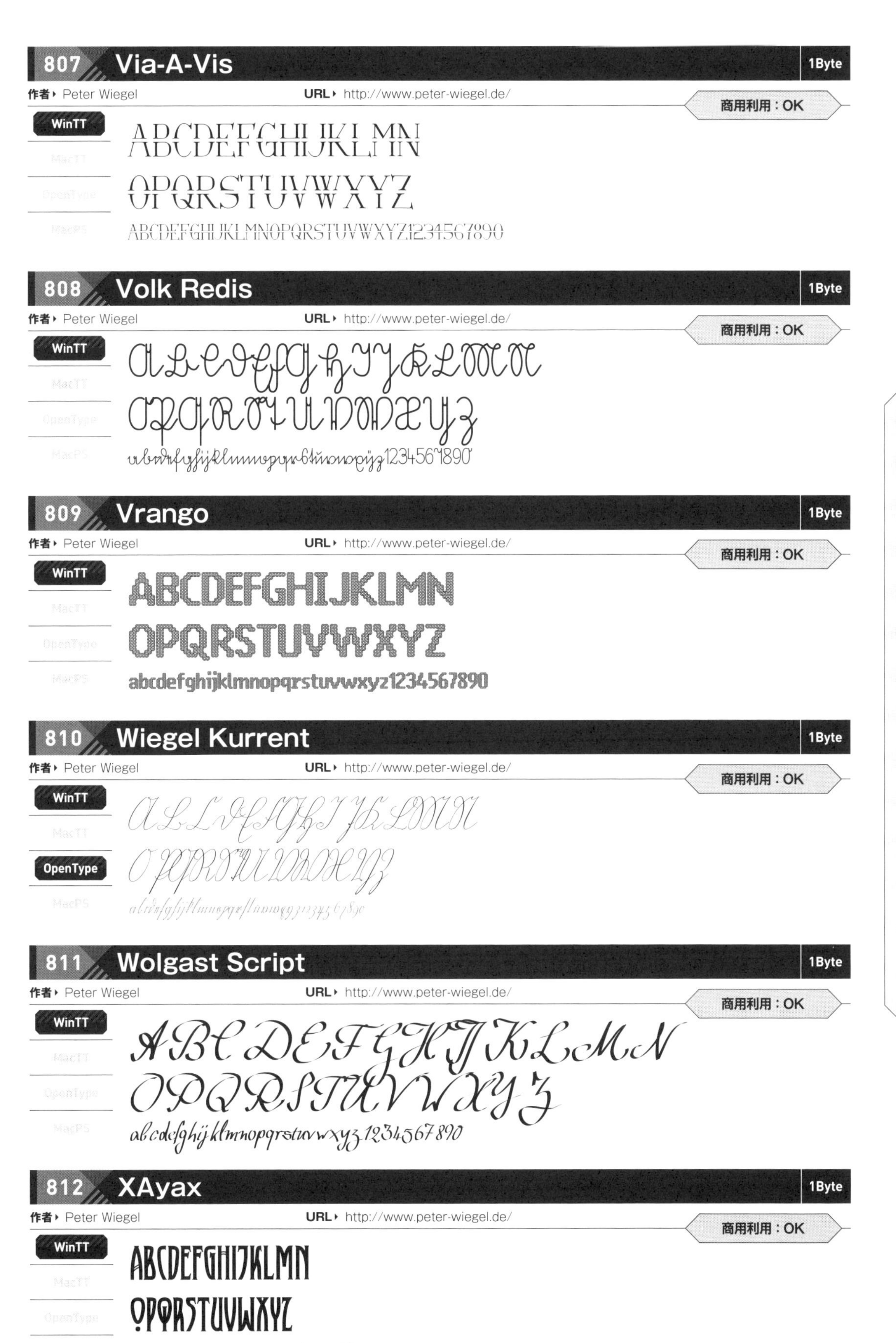

807 Via-A-Vis
1Byte

作者▸ Peter Wiegel　URL▸ http://www.peter-wiegel.de/

商用利用：OK

WinTT

808 Volk Redis
1Byte

作者▸ Peter Wiegel　URL▸ http://www.peter-wiegel.de/

商用利用：OK

WinTT

809 Vrango
1Byte

作者▸ Peter Wiegel　URL▸ http://www.peter-wiegel.de/

商用利用：OK

WinTT

810 Wiegel Kurrent
1Byte

作者▸ Peter Wiegel　URL▸ http://www.peter-wiegel.de/

商用利用：OK

WinTT

OpenType

811 Wolgast Script
1Byte

作者▸ Peter Wiegel　URL▸ http://www.peter-wiegel.de/

商用利用：OK

WinTT

812 XAyax
1Byte

作者▸ Peter Wiegel　URL▸ http://www.peter-wiegel.de/

商用利用：OK

WinTT

813 DeLarge
1Byte

作者▸ PintassilgoPrints　URL▸ ―

商用利用：OK

WinTT / MacTT / OpenType / MacPS

ABCDEFGHIJKLMN
OPQRSTUVWXYZ
ABCDEFGHIJKLMNOPQRSTUVWXYZ1234567890

814 Qirkus
1Byte

作者▸ Qwerks　URL▸ http://graphicriver.net/user/joiaco

商用利用：OK

WinTT / MacTT / OpenType / MacPS

ABCDEFGHIJKLMN
OPQRSTUVWXYZ
ABCDEFGHIJKLMNOPQRSTUVWXYZ1234567890

815 QrackStreet
1Byte

作者▸ Qwerks　URL▸ http://graphicriver.net/user/joiaco

商用利用：NG

WinTT / MacTT / OpenType / MacPS

ABCDEFGHIJKLMN
OPQRSTUVWXYZ
abcdefghijklmnopqrstuvwxyz1234567890

816 Qranklestein
1Byte

作者▸ Qwerks　URL▸ http://graphicriver.net/user/joiaco

商用利用：NG

WinTT / MacTT / OpenType / MacPS

ABCDEFGHIJKLMN
OPQRSTUVWXYZ
abcdefghijklmnopqrstuvwxyz1234567890

817 100t
1Byte

作者▸ rain-road（rina）　URL▸ http://rain-road.com/

商用利用：要事前連絡

WinTT / MacTT / OpenType / MacPS

ABCDEFGHIJKLMN
OPQRSTUVWXYZ
ABCDEFGHIJKLMNOPQRSTUVWXYZ1234567890

818 coopoppo serif
1Byte

作者▸ rain-road（rina）　URL▸ http://rain-road.com/

商用利用：要事前連絡

WinTT / MacTT / OpenType / MacPS

ABCDEFGHIJKLMN
OPQRSTUVWXYZ
abcdefghijklmnopqrstuvwxyz1234567890

819 ecoco

1Byte

作者▸ rain-road（rina）　URL▸ http://rain-road.com/

商用利用：要事前連絡

WinTT / MacTT / OpenType / MacPS

ABCDEFGHIJKLMN
OPQRSTUVWXYZ
abcdefghijklmnopqrstuvwxyz1234567890

820 leap in wired

1Byte

作者▸ rain-road（rina）　URL▸ http://rain-road.com/

商用利用：要事前連絡

WinTT / MacTT / OpenType / MacPS

ABCDEFGHIJKLMN
OPQRSTUVWXYZ
abcdefghijklmnopqrstuvwxyz1234567890

821 miu font

1Byte

作者▸ rain-road（rina）　URL▸ http://rain-road.com/

商用利用：要事前連絡

WinTT / MacTT / OpenType / MacPS

ABCDEFGHIJKLMN
OPQRSTUVWXYZ
abcdefghijklmnopqrstuvwxyz1234567890

822 scrappy dot

1Byte

作者▸ rain-road（rina）　URL▸ http://rain-road.com/

商用利用：要事前連絡

WinTT / MacTT / OpenType / MacPS

ABCDEFGHIJKLMN
OPQRSTUVWXYZ
abcdefghijklmnopqrstuvwxyz1234567890

823 X·O

1Byte

作者▸ rain-road（rina）　URL▸ http://rain-road.com/

商用利用：要事前連絡

WinTT / MacTT / OpenType / MacPS

ABCDEFGHIJKLMN
OPQRSTUVWXYZ
abcdefghijklmnopqrstuvwxyz1234567890

824 Angerpoise Lampshade

1Byte

作者▸ Raymond Larabie　URL▸ http://typodermicfonts.com/

商用利用：OK

WinTT / MacTT / OpenType / MacPS

ABCDEFGHIJKLMN
OPQRSTUVWXYZ
abcdefghijklmnopqrstuvwxyz1234567890

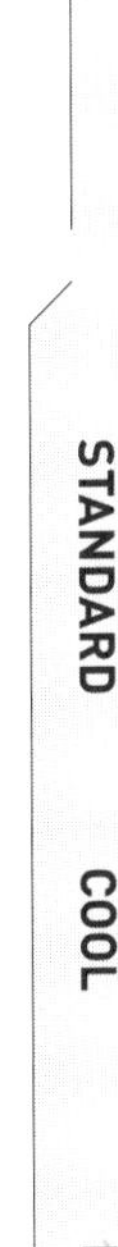

825 Chinese Rocks
1Byte

作者 ▸ Raymond Larabie　URL ▸ http://typodermicfonts.com/

商用利用：OK

WinTT　MacTT　OpenType　MacPS

ABCDEFGHIJKLMN
OPQRSTUVWXYZ
ABCDEFGHIJKLMNOPQRSTUVWXYZ1234567890

826 Color Basic
1Byte

作者 ▸ Raymond Larabie　URL ▸ http://typodermicfonts.com/

商用利用：OK

WinTT　MacTT　OpenType　MacPS

ABCDEFGHIJKLMN
OPQRSTUVWXYZ
ABCDEFGHIJKLMNOPQRSTUVWXYZ1234567890

827 Dacquoise
1Byte

作者 ▸ Raymond Larabie　URL ▸ http://typodermicfonts.com/

商用利用：OK

WinTT　MacTT　OpenType　MacPS

ABCDEFGHIJKLMN
OPQRSTUVWXYZ
ABCDEFGHIJKLMNOPQRSTUVWXYZ1234567890

828 Densmore
1Byte

作者 ▸ Raymond Larabie　URL ▸ http://typodermicfonts.com/

商用利用：OK

WinTT　MacTT　OpenType　MacPS

ABCDEFGHIJKLMN
OPQRSTUVWXYZ
abcdefghijklmnopqrstuvwxyz1234567890

829 Goldsaber
1Byte

作者 ▸ Raymond Larabie　URL ▸ http://typodermicfonts.com/

商用利用：OK

WinTT　MacTT　OpenType　MacPS

ABCDEFGHIJKLMN
OPQRSTUVWXYZ
ABCDEFGHIJKLMNOPQRSTUVWXYZ1234567890

830 Mango
1Byte

作者 ▸ Raymond Larabie　URL ▸ http://typodermicfonts.com/

商用利用：OK

WinTT　MacTT　OpenType　MacPS

ABCDEFGHIJKLMN
OPQRSTUVWXYZ
abcdefghijklmnopqrstuvwxyz1234567890

831 Minya 1Byte

作者▸ Raymond Larabie URL▸ http://typodermicfonts.com/

商用利用：OK

WinTT MacTT OpenType MacPS

ABCDEFGHIJKLMN
OPQRSTUVWXYZ
abcdefghijklmnopqrstuvwxyz1234567890

832 Pulse State 1Byte

作者▸ Raymond Larabie URL▸ http://typodermicfonts.com/

商用利用：OK

WinTT MacTT OpenType MacPS

ABCDEFGHIJKLMN
OPQRSTUVWXYZ
abcdefghijklmnopqrstuvwxyz1234567890

833 Quixotic 1Byte

作者▸ Raymond Larabie URL▸ http://typodermicfonts.com/

商用利用：OK

WinTT MacTT OpenType MacPS

ABCDEFGHIJKLMN
OPQRSTUVWXYZ
ABCDEFGHIJKLMNOPQRSTUVWXYZ1234567890

834 Sayso Chic 1Byte

作者▸ Raymond Larabie URL▸ http://typodermicfonts.com/

商用利用：OK

WinTT MacTT OpenType MacPS

ABCDEFGHIJKLMN
OPQRSTUVWXYZ
abcdefghijklmnopqrstuvwxyz1234567890

835 Snidely 1Byte

作者▸ Raymond Larabie URL▸ http://typodermicfonts.com/

商用利用：OK

WinTT MacTT OpenType MacPS

ABCDEFGHIJKLMN
OPQRSTUVWXYZ
ABCDEFGHIJKLMNOPQRSTUVWXYZ1234567890

836 TRS Million 1Byte

作者▸ Raymond Larabie URL▸ http://typodermicfonts.com/

商用利用：OK

WinTT MacTT OpenType MacPS

ABCDEFGHIJKLMN
OPQRSTUVWXYZ
ABCDEFGHIJKLMNOPQRSTUVWXYZ1234567890

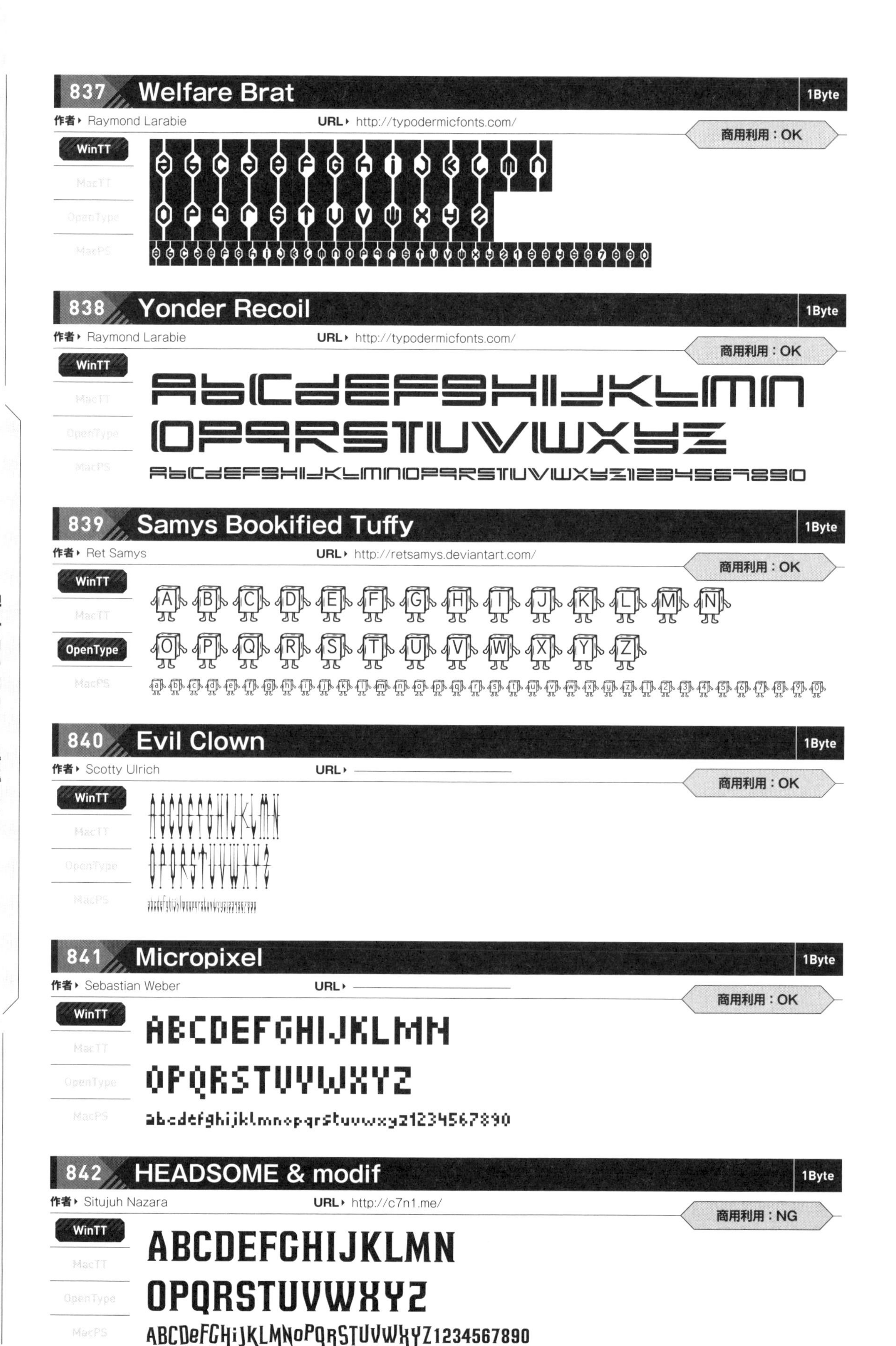

837 Welfare Brat

1Byte

作者 ▸ Raymond Larabie　URL ▸ http://typodermicfonts.com/

商用利用：OK

WinTT / MacTT / OpenType / MacPS

838 Yonder Recoil

1Byte

作者 ▸ Raymond Larabie　URL ▸ http://typodermicfonts.com/

商用利用：OK

WinTT / MacTT / OpenType / MacPS

839 Samys Bookified Tuffy

1Byte

作者 ▸ Ret Samys　URL ▸ http://retsamys.deviantart.com/

商用利用：OK

WinTT / MacTT / OpenType / MacPS

840 Evil Clown

1Byte

作者 ▸ Scotty Ulrich　URL ▸

商用利用：OK

WinTT / MacTT / OpenType / MacPS

841 Micropixel

1Byte

作者 ▸ Sebastian Weber　URL ▸

商用利用：OK

WinTT / MacTT / OpenType / MacPS

842 HEADSOME & modif

1Byte

作者 ▸ Situjuh Nazara　URL ▸ http://c7n1.me/

商用利用：NG

WinTT / MacTT / OpenType / MacPS

843 PLAYSIR
1Byte

作者▸ Situjuh Nazara　URL▸ http://c7n1.me/　商用利用：NG

OpenType

844 REMPONK
1Byte

作者▸ Situjuh Nazara　URL▸ http://c7n1.me/　商用利用：NG

OpenType

845 TWOFOLD uncomplete DeSigN
1Byte

作者▸ Situjuh Nazara　URL▸ http://c7n1.me/　商用利用：OK

WinTT

846 Hitchhiker
1Byte

作者▸ Slava Krivonosov　URL▸ https://www.behance.net/krivonosov　商用利用：OK

WinTT

847 Capitalis Goreanis
1Byte

作者▸ stillerhimmel　URL▸ ――――――　商用利用：OK

WinTT

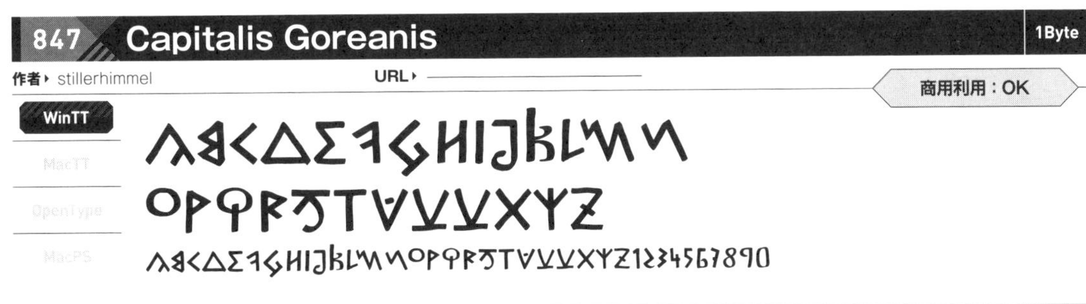

848 Boo City
1Byte

作者▸ Tyler Finck　URL▸ http://www.tylerfinck.com/　商用利用：OK

WinTT

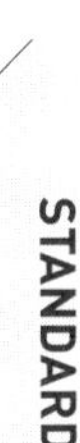

849 Coolville

1Byte

作者 ▸ Tyler Finck　URL ▸ http://www.tylerfinck.com/

商用利用：OK

WinTT / MacTT / OpenType / MacPS

ABCDEFGHIJKLMN
OPQRSTUVWXYZ
ABCDEFGHIJKLMNOPQRSTUVWXYZ1234567890

850 Porter Sans Block

1Byte

作者 ▸ Tyler Finck　URL ▸ http://www.tylerfinck.com/

商用利用：OK

WinTT / MacTT / OpenType / MacPS

ABCDEFGHIJKLMN
OPQRSTUVWXYZ
ABCDEFGHIJKLMNOPQRSTUVWXYZ1234567890

851 Simpletown

1Byte

作者 ▸ Tyler Finck　URL ▸ http://www.tylerfinck.com/

商用利用：OK

WinTT / MacTT / OpenType / MacPS

ABCDEFGHIJKLMN
OPQRSTUVWXYZ
ABCDEFGHIJKLMNOPQRSTUVWXYZ1234567890

852 Arizonia

1Byte

作者 ▸ TypeSETit　URL ▸ http://www.typesetit.com/

商用利用：OK

WinTT / MacTT / OpenType / MacPS

ABCDEFGHIJKLMN
OPQRSTUVWXYZ
abcdefghijklmnopqrstuvwxyz1234567890

853 Great Vibes

1Byte

作者 ▸ TypeSETit　URL ▸ http://www.typesetit.com/

商用利用：OK

WinTT / MacTT / OpenType / MacPS

ABCDEFGHIJKLMN
OPQRSTUVWXYZ
abcdefghijklmnopqrstuvwxyz1234567890

854 Ruge Boogie

1Byte

作者 ▸ TypeSETit　URL ▸ http://www.typesetit.com/

商用利用：OK

WinTT / MacTT / OpenType / MacPS

ABCDEFGHIJKLMN
OPQRSTUVWXYZ
abcdefghijklmnopqrstuvwxyz1234567890

855 Monoton
1Byte

作者▸ Vernon Adams　URL▸ https://www.behance.net/vernonadams

商用利用：OK

WinTT

856 Sancreek
1Byte

作者▸ Vernon Adams　URL▸ https://www.behance.net/vernonadams

商用利用：OK

WinTT

857 Blrrpix
1Byte

作者▸ Vit Condak　URL▸ http://fonty.condak.cz/

商用利用：OK

WinTT

858 Hieroglyphic
1Byte

作者▸ Vit Condak　URL▸ http://fonty.condak.cz/

商用利用：OK

WinTT

859 Hieroglyphos
1Byte

作者▸ Vit Condak　URL▸ http://fonty.condak.cz/

商用利用：OK

WinTT

860 Christmas Tree
1Byte

作者▸ Wa2ise's Fonts　URL▸ ―

商用利用：OK

WinTT

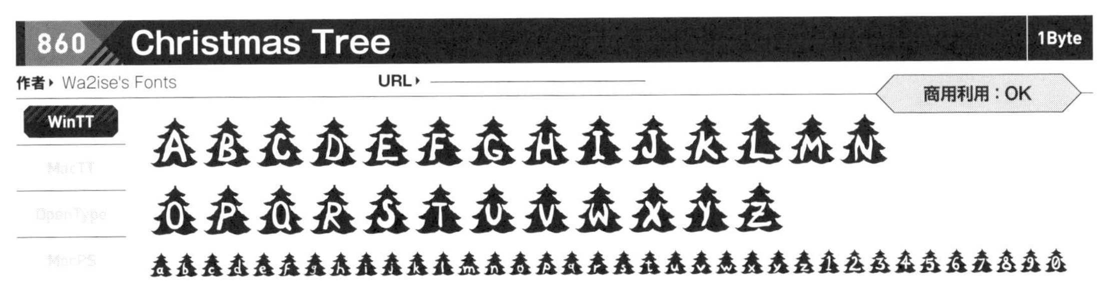

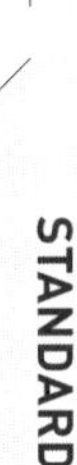

861 Eggs
1Byte

作者▸ Wa2ise's Fonts　URL▸ ―

商用利用：OK

WinTT / MacTT / OpenType / MacPS

ABCDEFGHIJKLMN
OPQRSTUVWXYZ
abcdefghijklmnopqrstuvwxyz1234567890

862 Arsenale White
1Byte

作者▸ Zetafonts　URL▸ http://www.zetafonts.com/

商用利用：OK

WinTT / MacTT / OpenType / MacPS

abcdefghijklmn
opqrstuvwxyz
abcdefghijklmnopqrstuvwxyz1234567890

863 AK-BlackCastle
1Byte

作者▸ あくび印　URL▸ http://pandachan.jp/

商用利用：カンパウェア

WinTT / MacTT / OpenType / MacPS

ABCDEFGHIJKLMN
OPQRSTUVWXYZ
abcdefghijklmnopqrstuvwxyz1234567890

864 AK-BlueHeaven
1Byte

作者▸ あくび印　URL▸ http://pandachan.jp/

商用利用：カンパウェア

WinTT / MacTT / OpenType / MacPS

ABCDEFGHIJKLMN
OPQRSTUVWXYZ
abcdefghijklmnopqrstuvwxyz1234567890

865 AK-UNCIAL
1Byte

作者▸ あくび印　URL▸ http://pandachan.jp/

商用利用：カンパウェア

WinTT / MacTT / OpenType / MacPS

ABCDEFGHIJKLMN
OPQRSTUVWXYZ
ABCDEFGHIJKLMNOPQRSTUVWXYZ1234567890

866 Suehirogari
1Byte

作者▸ きゃきらん　URL▸ http://bakafonts.kyakirun.com

商用利用：OK

WinTT / MacTT / OpenType / MacPS

ABCDEFGHIJKLMN
OPQRSTUVWXYZ
abcdefghijklmnopqrstuvwxyz1234567890

867 Suehirogari Bold

1Byte

作者▸ きゃきらん　URL▸ http://bakafonts.kyakirun.com

商用利用：OK

WinTT / MacTT / OpenType / MacPS

ABCDEFGHIJKLMN
OPQRSTUVWXYZ
abcdefghijklmnopqrstuvwxyz1234567890

868 Suehirogari Outline

1Byte

作者▸ きゃきらん　URL▸ http://bakafonts.kyakirun.com

商用利用：OK

WinTT / MacTT / OpenType / MacPS

ABCDEFGHIJKLMN
OPQRSTUVWXYZ
abcdefghijklmnopqrstuvwxyz1234567890

869 オシャレ

1Byte

作者▸ きゃきらん　URL▸ http://bakafonts.kyakirun.com

商用利用：OK

WinTT / MacTT / OpenType / MacPS

ABCDEFGHIJKLMN
OPQRSTUVWXYZ
abcdefghijklmnopqrstuvwxyz1234567890

870 オシャレ ブラック

1Byte

作者▸ きゃきらん　URL▸ http://bakafonts.kyakirun.com

商用利用：OK

WinTT / MacTT / OpenType / MacPS

ABCDEFGHIJKLMN
OPQRSTUVWXYZ
abcdefghijklmnopqrstuvwxyz1234567890

871 オシャレ 骨抜き

1Byte

作者▸ きゃきらん　URL▸ http://bakafonts.kyakirun.com

商用利用：OK

WinTT / MacTT / OpenType / MacPS

ABCDEFGHIJKLMN
OPQRSTUVWXYZ
abcdefghijklmnopqrstuvwxyz1234567890

872 ソイツは網点だったよ

1Byte

作者▸ きゃきらん　URL▸ http://bakafonts.kyakirun.com

商用利用：OK

WinTT / MacTT / OpenType / MacPS

ABCDEFGHIJKLMN
OPQRSTUVWXYZ
abcdefghijklmnopqrstuvwxyz1234567890

873 網点だったよソイツは

1Byte

作者▸ きゃきらん　URL▸ http://bakafonts.kyakirun.com

商用利用：OK

WinTT / MacTT / OpenType / MacPS

874 Border Heaven

1Byte

作者▸ サトウケイイチ　URL▸ http://gebsite.org/

商用利用：要事前連絡

WinTT / MacTT / OpenType / MacPS

875 BURSTEX

1Byte

作者▸ サトウケイイチ　URL▸ http://gebsite.org/

商用利用：要事前連絡

WinTT / MacTT / OpenType / MacPS

876 Commune the edacious dragon

1Byte

作者▸ サトウケイイチ　URL▸ http://gebsite.org/

商用利用：要事前連絡

WinTT / MacTT / OpenType / MacPS

877 Corner Boy

1Byte

作者▸ サトウケイイチ　URL▸ http://gebsite.org/

商用利用：要事前連絡

WinTT / MacTT / OpenType / MacPS

878 EVAC AH

1Byte

作者▸ サトウケイイチ　URL▸ http://gebsite.org/

商用利用：要事前連絡

WinTT / MacTT / OpenType / MacPS

879 EVAC fh
1Byte

作者▸ サトウケイイチ　URL▸ http://gebsite.org/

商用利用：要事前連絡

WinTT / MacTT / **OpenType** / MacPS

880 Fantasy Gezone
1Byte

作者▸ サトウケイイチ　URL▸ http://gebsite.org/

商用利用：要事前連絡

WinTT / **MacTT** / OpenType / MacPS

881 G.S.P rade
1Byte

作者▸ サトウケイイチ　URL▸ http://gebsite.org/

商用利用：要事前連絡

WinTT / **MacTT** / OpenType / MacPS

882 Gamel Try
1Byte

作者▸ サトウケイイチ　URL▸ http://gebsite.org/

商用利用：要事前連絡

WinTT / **MacTT** / OpenType / MacPS

883 Gebange
1Byte

作者▸ サトウケイイチ　URL▸ http://gebsite.org/

商用利用：要事前連絡

WinTT / **MacTT** / OpenType / MacPS

884 Gebapolice
1Byte

作者▸ サトウケイイチ　URL▸ http://gebsite.org/

商用利用：要事前連絡

WinTT / **MacTT** / OpenType / MacPS

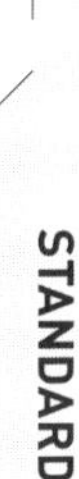

885 Gebarider

1Byte

作者▸ サトウケイイチ　URL▸ http://gebsite.org/

商用利用：要事前連絡

WinTT / MacTT / OpenType / MacPS

ABCDEFGHIJKLMN
OPQRSTUVWXYZ
abcdefghijklmnopqrstuvwxyz1234567890

886 GebulasRay

1Byte

作者▸ サトウケイイチ　URL▸ http://gebsite.org/

商用利用：要事前連絡

WinTT / MacTT / OpenType / MacPS

ABCDEFGHIJKLMN
OPQRSTUVWXYZ
ABCDEFGHIJKLMNOPQRSTUVWXVED1234567890

887 geppon

1Byte

作者▸ サトウケイイチ　URL▸ http://gebsite.org/

商用利用：要事前連絡

WinTT / MacTT / OpenType / MacPS

ABCDEFGHIJKLMN
OPQRSTUVWXYZ
abcdefghijklmnopqrstuvwxyz1234567890

888 Gradion

1Byte

作者▸ サトウケイイチ　URL▸ http://gebsite.org/

商用利用：要事前連絡

WinTT / MacTT / OpenType / MacPS

ABCDEFGHIJKLMN
OPQRSTUVWXYZ
ABCDEFGHIJKLMNOPQRSTUVWXYZ1234567890

889 Gradion Text Style III

1Byte

作者▸ サトウケイイチ　URL▸ http://gebsite.org/

商用利用：要事前連絡

WinTT / MacTT / OpenType / MacPS

ABCDEFGHIJKLMN
OPQRSTUVWXYZ
ABCDEFGHIJKLMNOPQRSTUVWXYZ1234567890

890 Ogeba Fighter

1Byte

作者▸ サトウケイイチ　URL▸ http://gebsite.org/

商用利用：要事前連絡

WinTT / MacTT / OpenType / MacPS

ABCDEFGHIJKLMN
OPQRSTUVWXYZ
←→♥ED®＼!?&#$/<>[]{}1234567890

891 Sencoron

1Byte

作者▸ サトウケイイチ　URL▸ http://gebsite.org/

商用利用：要事前連絡

WinTT / MacTT / **OpenType** / MacPS

892 Super Gezone

1Byte

作者▸ サトウケイイチ　URL▸ http://gebsite.org/

商用利用：要事前連絡

WinTT / MacTT / **OpenType** / MacPS

893 The Yellows

1Byte

作者▸ サトウケイイチ　URL▸ http://gebsite.org/

商用利用：要事前連絡

WinTT / **MacTT** / OpenType / MacPS

894 Tonti Bit

1Byte

作者▸ サトウケイイチ　URL▸ http://gebsite.org/

商用利用：要事前連絡

WinTT / MacTT / **OpenType** / MacPS

895 UNCR - DFMN

1Byte

作者▸ サトウケイイチ　URL▸ http://gebsite.org/

商用利用：要事前連絡

WinTT / MacTT / **OpenType** / MacPS

896 夏法大作戦

1Byte

作者▸ サトウケイイチ　URL▸ http://gebsite.org/

商用利用：要事前連絡

WinTT / **MacTT** / OpenType / MacPS

897 MANZYU

1Byte

作者 ▸ Gomarice Font　URL ▸ http://gomaricefont.web.fc2.com

商用利用：OK

WinTT / MacTT / OpenType / MacPS

ABCDEFGHIJKLMN
OPQRSTUVWXYZ
ABCDEFGHIJKLMNOPQRSTUVWXYZ1234567890

898 Bat Men

1Byte

作者 ▸ Gomarice Font　URL ▸ http://gomaricefont.web.fc2.com

商用利用：OK

WinTT / MacTT / OpenType / MacPS

ABCDEFGHIJKLMN
OPQRSTUVWXYZ
abcdefghijklmnopqrstuvwxyz1234567890

899 Rocks

1Byte

作者 ▸ Gomarice Font　URL ▸ http://gomaricefont.web.fc2.com

商用利用：OK

WinTT / MacTT / OpenType / MacPS

ABCDEFGHIJKLMN
OPQRSTUVWXYZ
abcdefghijklmnopqrstuvwxyz1234567890

900 ZOMBIE SHOOTING

1Byte

作者 ▸ Gomarice Font　URL ▸ http://gomaricefont.web.fc2.com

商用利用：OK

WinTT / MacTT / OpenType / MacPS

ABCDEFGHIJKLMN
OPQRSTUVWXYZ
ABCDEFGHIJKLMNOPQRSTUVWXYZ1234567890

901 Melting Ice Cream

1Byte

作者 ▸ Gomarice Font　URL ▸ http://gomaricefont.web.fc2.com

商用利用：OK

WinTT / MacTT / OpenType / MacPS

ABCDEFGHIJKLMN
OPQRSTUVWXYZ
abcdefghijklmnopqrstuvwxyz1234567890

902 GAME MUSIC LOVE

1Byte

作者 ▸ Gomarice Font　URL ▸ http://gomaricefont.web.fc2.com

商用利用：OK

WinTT / MacTT / OpenType / MacPS

ABCDEFGHIJKLMN
OPQRSTUVWXYZ
ABCDEFGHIJKLMNOPQRSTUVWXYZ1234567890

和文 フリーフォントカタログ

FREE FONT CATALOG

フォントカタログの見方

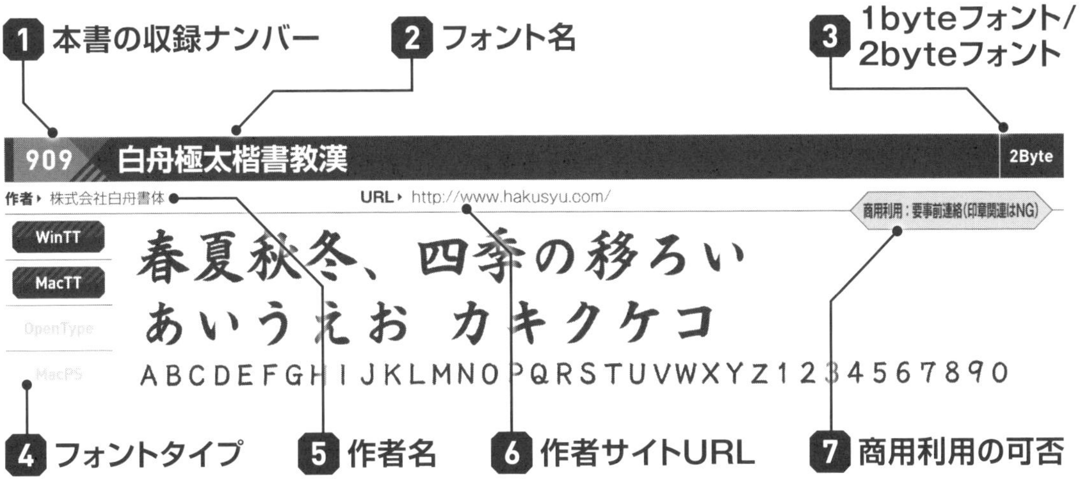

1 本書の収録ナンバー
2 フォント名
3 1byteフォント/2byteフォント

909 白舟極太楷書教漢 2Byte

作者 ▸ 株式会社白舟書体　URL ▸ http://www.hakusyu.com/　商用利用：要事前連絡（印章関連はNG）

WinTT / MacTT / OpenType / MacPS

春夏秋冬、四季の移ろい
あいうえお カキクケコ
ABCDEFGHIJKLMNOPQRSTUVWXYZ1234567890

4 フォントタイプ
5 作者名
6 作者サイトURL
7 商用利用の可否

【注意】和文フォントは、各フォントごとに収録されている漢字数は異なります。フォントによっては意図した漢字が表示されない場合もありますが、その場合は別のフォントに変更していただくか、フォント作者のアップデートで漢字が追加されるのをお待ちください。

スタンダード

STANDARD

さまざまなデザインで使えるスタンダードなデザインのフォント

903 Source Han Sans

2Byte

作者▸ google/adobe URL▸ https://github.com/adobe-fonts/source-han-sans

商用利用：OK

WinTT / MacTT / **OpenType** / MacPS

春夏秋冬、四季の移ろい
あいうえお カキクケコ
ABCDEFGHIJKLMNOPQRSTUVWXYZ1234567890

904 Mgen+

2Byte

作者▸ MM URL▸ http://jikasei.me/

商用利用：OK

WinTT / MacTT / OpenType / MacPS

春夏秋冬、四季の移ろい
あいうえお カキクケコ
ABCDEFGHIJKLMNOPQRSTUVWXYZ1234567890

905 源真ゴシック

2Byte

作者▸ MM URL▸ http://jikasei.me/

商用利用：OK

WinTT / MacTT / OpenType / MacPS

春夏秋冬、四季の移ろい
あいうえお カキクケコ
ABCDEFGHIJKLMNOPQRSTUVWXYZ1234567890

906 毛筆版 Y.OzFontK & M TTF/TTCパック

2Byte

作者▸ Y.Oz URL▸ http://yozvox.web.fc2.com/

商用利用：OK（連絡希望）

WinTT / MacTT / OpenType / MacPS

春夏秋冬、四季の移ろい
あいうえお カキクケコ
ABCDEFGHIJKLMNOPQRSTUVWXYZ1234567890

907 IPAex明朝

2Byte

作者▸ 独立行政法人情報処理推進機構 URL▸ https://www.ipa.go.jp/

商用利用：OK

WinTT / MacTT / OpenType / MacPS

春夏秋冬、四季の移ろい
あいうえお カキクケコ
ABCDEFGHIJKLMNOPQRSTUVWXYZ1234567890

908 IPAexゴシック 2Byte

作者▸ 独立行政法人情報処理推進機構　URL▸ https://www.ipa.go.jp/

商用利用：OK

WinTT MacTT OpenType MacPS

春夏秋冬、四季の移ろい
あいうえお カキクケコ
ABCDEFGHIJKLMNOPQRSTUVWXYZ1234567890

909 白舟極太楷書教漢 2Byte

作者▸ 株式会社白舟書体　URL▸ http://www.hakusyu.com/

商用利用：要事前連絡(印章関連はNG)

WinTT MacTT OpenType MacPS

春夏秋冬、四季の移ろい
あいうえお カキクケコ
ABCDEFGHIJKLMNOPQRSTUVWXYZ1234567890

910 白舟行書Pro教漢 2Byte

作者▸ 株式会社白舟書体　URL▸ http://www.hakusyu.com/

商用利用：要事前連絡(印章関連はNG)

WinTT MacTT OpenType MacPS

春夏秋冬、四季の移ろい
あいうえお カキクケコ
ABCDEFGHIJKLMNOPQRSTUVWXYZ1234567890

911 白舟行書教漢 2Byte

作者▸ 株式会社白舟書体　URL▸ http://www.hakusyu.com/

商用利用：要事前連絡(印章関連はNG)

WinTT MacTT OpenType MacPS

春夏秋冬、四季の移ろい
あいうえお カキクケコ
ABCDEFGHIJKLMNOPQRSTUVWXYZ1234567890

912 白舟行書御祝 2Byte

作者▸ 株式会社白舟書体　URL▸ http://www.hakusyu.com/

商用利用：要事前連絡(印章関連はNG)

WinTT MacTT OpenType MacPS

お祝　御祝儀　記念品
寄贈　祝就職　御歳暮
賞品 寸志 粗品 内祝 贈呈 御年賀 御供物 御霊前 御佛前 お年玉 祝入学 御中元

913 白舟草書教漢 2Byte

作者▸ 株式会社白舟書体　URL▸ http://www.hakusyu.com/

商用利用：要事前連絡(印章関連はNG)

WinTT MacTT OpenType MacPS

春夏秋冬、四季の移ろい
あいうえお カキクケコ
ABCDEFGHIJKLMNOPQRSTUVWXYZ1234567890

914 白舟隷書教漢　2Byte

作者▸ 株式会社白舟書体　URL▸ http://www.hakusyu.com/

商用利用：要事前連絡(印章関連はNG)

WinTT / MacTT / OpenType / MacPS

春夏秋冬、四季の移ろい
あいうえお カキクケコ
ABCDEFGHIJKLMNOPQRSTUVWXYZ1234567890

915 白舟楷書教漢　2Byte

作者▸ 株式会社白舟書体　URL▸ http://www.hakusyu.com/

商用利用：要事前連絡(印章関連はNG)

WinTT / MacTT / OpenType / MacPS

春夏秋冬、四季の移ろい
あいうえお カキクケコ
ABCDEFGHIJKLMNOPQRSTUVWXYZ1234567890

916 白舟楷書御祝　2Byte

作者▸ 株式会社白舟書体　URL▸ http://www.hakusyu.com/

商用利用：要事前連絡(印章関連はNG)

WinTT / MacTT / OpenType / MacPS

お祝　御祝儀　記念品
寄贈　祝就職　御歳暮
賞品 寸志 粗品 内祝 贈呈 御年賀 御供物 御霊前 御佛前 お年玉 祝入学 御中元

917 はんなり明朝　2Byte

作者▸ 中井良尚　URL▸ https://typingart.net/

商用利用：OK

WinTT / MacTT / OpenType / MacPS

春夏秋冬、四季の移ろい
あいうえお カキクケコ
ABCDEFGHIJKLMNOPQRSTUVWXYZ1234567890

918 ぼくたちのゴシック　2Byte

作者▸ 中井良尚　URL▸ https://fontopo.com

商用利用：OK

WinTT / MacTT / OpenType / MacPS

春夏秋冬、四季の移ろい
あいうえお カキクケコ
ABCDEFGHIJKLMNOPQRSTUVWXYZ1234567890

919 XANO明朝　2Byte

作者▸ 内田明　URL▸ http://www.asahi-net.or.jp/~sd5a-ucd/

商用利用：OK

WinTT / MacTT / OpenType / MacPS

春夏秋冬、四季の移ろい
あいうえお カキクケコ
ABCDEFGHIJKLMNOPQRSTUVWXYZ1234567890

クール

COOL

スタイリッシュでカッコ良いデザインのフォント

920 DBストレート12

2Byte

作者 ▸ dwuk/イソガキカズノリ　URL ▸ https://www.dwuk.jp/

商用利用：要事前連絡

WinTT MacTT OpenType MacPS

きせつのうつろい
アイウエオ カキクケコ
ABCDEFGHIJKLMNOPQRSTUVWXYZ1234567890

921 かんなな

2Byte

作者 ▸ dwuk/イソガキカズノリ　URL ▸ https://www.dwuk.jp/

商用利用：要事前連絡

WinTT MacTT OpenType MacPS

きせつのうつろい
アイウエオ カキクケコ
あいうえお かきくけこ サシスセソ タチツテト

922 はなはた

2Byte

作者 ▸ dwuk/イソガキカズノリ　URL ▸ https://www.dwuk.jp/

商用利用：要事前連絡

WinTT MacTT OpenType MacPS

きせつのうつろい
あいうえお かきくけこ
さしすせそ たちつてと なにぬねの

923 モトギ

2Byte

作者 ▸ dwuk/イソガキカズノリ　URL ▸ https://www.dwuk.jp/

商用利用：要事前連絡

WinTT MacTT OpenType MacPS

キセツノウツロイ
アイウエオ カキクケコ
サシスセソ タチツテト ナニヌネノ

924 三次元切絵字

2Byte

作者 ▸ fub工房　URL ▸ https://fub-koubou.work

商用利用：OK

WinTT MacTT OpenType MacPS

925 ロゴたいぷゴシック 2Byte

作者▸ fontな　URL▸ http://www.fontna.com/

商用利用：OK

WinTT / MacTT / OpenType / MacPS

春夏秋冬、四季の移ろい
あいうえお カキクケコ
ABCDEFGHIJKLMNOPQRSTUVWXYZ1234567890

926 Barrel 1Byte

作者▸ WEIGHT LESSNESS GRAPHICS/Tadahara Ohtsuki　URL▸ http://www.h2.dion.ne.jp/~wlg/

商用利用：要事前連絡

WinTT / MacTT / OpenType / MacPS

きせつのうつろい
アイウエオ カキクケコ
ABCDEFGHIJKLMNOPQRSTUVWXYZ 1234567890

927 Hexagon R 1Byte

作者▸ WEIGHT LESSNESS GRAPHICS/Tadahara Ohtsuki　URL▸ http://www.h2.dion.ne.jp/~wlg/

商用利用：要事前連絡

WinTT / MacTT / OpenType / MacPS

キセツノウツロイ
アイウエオ カキクケコ
ABCDEFGHIJKLMNOPQRSTUVWXYZ 1234567890

928 TrueType Colleciton Font No.019 2Byte

作者▸ 井上デザイン・井上優　URL▸ http://idfont.jp/

商用利用：OK

WinTT / MacTT / OpenType / MacPS

きせつのうつろい
アイウエオ カキクケコ
あいうえお かきくけこ サシスセソ タチツテト1 2 3 4 6 7 8 9 0

929 lightfont 2Byte

作者▸ オオモリ　URL▸ http://www.geocities.jp/mild4128/

商用利用：要事前連絡

WinTT / MacTT / OpenType / MacPS

キセツノウツロイ
アイウエオ カキクケコ
サシスセソ タヂツテト ナニヌネノ

930 mildfont 2Byte

作者▸ オオモリ　URL▸ http://www.geocities.jp/mild4128/

商用利用：要事前連絡

WinTT / MacTT / OpenType / MacPS

キセツノウツロイ
アイウエオ カキクケコ
ABCDEFGHIJKLMNOPQRSTUVWXYZ 1234567890

931 +プラス 2Byte

作者▸ きゃきらん　URL▸ http://bakafonts.kyakirun.com　商用利用：OK

WinTT　MacTT　OpenType　MacPS

キセツノウツロイ
アイウエオ カキクケコ
ABCDEFGHIJKLMNOPQRSTUVWXYZ 1234567890

932 カクダロン B 2Byte

作者▸ きゃきらん　URL▸ http://bakafonts.kyakirun.com　商用利用：OK

WinTT　MacTT　OpenType　MacPS

キセツノウツロイ
アイウエオ カキクケコ
ABCDEFGHIJKLMNOPQRSTUVWXYZ 1234567890

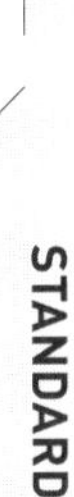

933 テクノストレス カタカナ 1Byte

作者▸ きゃきらん　URL▸ http://bakafonts.kyakirun.com　商用利用：OK

WinTT　MacTT　OpenType　MacPS

キセツノウツロイ
アイウエオ カキクケコ
サシスセソ タチツテト ナニヌネノ

934 テクノストレス ひらがな 1Byte

作者▸ きゃきらん　URL▸ http://bakafonts.kyakirun.com　商用利用：OK

WinTT　MacTT　OpenType　MacPS

きせつのうつろい
あいうえお かきくけこ
さしすせそ たちつてと なにぬねの

935 デ字 2Byte

作者▸ きゃきらん　URL▸ http://bakafonts.kyakirun.com　商用利用：OK

WinTT　MacTT　OpenType　MacPS

きせつのうつろい
アイウエオ カキクケコ
ABCDEFGHIJKLMNOPQRSTUVWXYZ1234567890

936 バナナスリップ 2Byte

作者▸ ヤマナカデザインワークス　URL▸ http://ymnk-design.com　商用利用：OK

WinTT　MacTT　OpenType　MacPS

春夏秋冬、四季の移ろい
あいうえお カキクケコ
ABCDEFGHIJKLMNOPQRSTUVWXYZ1234567890

STANDARD　COOL　POP　DESIGN

937 ガガガガmini
2Byte

作者▸ ヤマナカデザインワークス　URL▸ http://ymnk-design.com

商用利用：不可(同人活動OK)

WinTT / MacTT / OpenType / MacPS

キセツノウツロイ
アイウエオ カキクケコ
1234567890

938 バンバンmini
1Byte

作者▸ ヤマナカデザインワークス　URL▸ http://ymnk-design.com

商用利用：不可(同人活動OK)

WinTT / MacTT / OpenType / MacPS

キセツノウツロイ
アイウエオ カキクケコ
1234567890

939 ミシミシ
1Byte

作者▸ ヤマナカデザインワークス　URL▸ http://ymnk-design.com

商用利用：OK

WinTT / MacTT / OpenType / MacPS

キセツノウツロイ
アイウエオ カキクケコ
サシスセソ タチツテト ナニヌネノ

940 せのびゴシック
2Byte

作者▸ MODI（モーディー）工場　URL▸ http://modi.jpn.org

商用利用：OK

WinTT / MacTT / OpenType / MacPS

春夏秋冬、四季の移ろい
あいうえお カキクケコ
ABCDEFGHIJKLMNOPQRSTUVWXYZ1234567890

941 梅フォント
2Byte

作者▸ 蓬莱和多流　URL▸ https://ja.osdn.net/projects/ume-font/wiki/FrontPage

商用利用：OK

WinTT / MacTT / OpenType / MacPS

春夏秋冬、四季の移ろい
あいうえお カキクケコ
ABCDEFGHIJKLMNOPQRSTUVWXYZ1234567890

942 GD-NostalMachinesJA-OTF
2Byte

作者▸ ぱんかれ　URL▸ http://www.hogera.com/pcb/

商用利用：OK

WinTT / MacTT / OpenType / MacPS

キセツノウツロイ
アイウエオ カキクケコ
サシスセソ タチツテト ナニヌネノ

ポップ

POP

やさしいイメージのあるフォント。キュートでかわいいフォントもこちら

943 MTたれ

2Byte

作者▸ ★まくた★

URL▸ http://ifs.nog.cc/maktak.hp.infoseek.co.jp/

商用利用：OK

WinTT / MacTT / OpenType / MacPS

春夏秋冬、四季の移ろい
あいうえお カキクケコ
ABCDEFGHIJKLMNOPQRSTUVWXYZ1234567890

944 MTたれっぴ

2Byte

作者▸ ★まくた★

URL▸ http://ifs.nog.cc/maktak.hp.infoseek.co.jp/

商用利用：OK

WinTT / MacTT / OpenType / MacPS

春夏秋冬、四季の移ろい
あいうえお カキクケコ
ABCDEFGHIJKLMNOPQRSTUVWXYZ1234567890

945 とねり

2Byte

作者▸ dwuk/イソガヰカズノリ

URL▸ https://www.dwuk.jp/

商用利用：要事前連絡

WinTT / MacTT / OpenType / MacPS

きせつのうつろい
アイウエオ カキクケコ
あいうえお かきくけこ サシスセソ タチツテト

946 ヒツジグモ

2Byte

作者▸ dwuk/イソガヰカズノリ

URL▸ https://www.dwuk.jp/

商用利用：要事前連絡

WinTT / MacTT / OpenType / MacPS

キセツノウツロイ
アイウエオ カキ
サシスセソ タチツテト ナニヌネノ

キセツノウツロイ
アイウエオ カキ
サシスセソ タチツテト ナニヌネノ

947 モフ字

2Byte

作者▸ fub工房

URL▸ https://fub-koubou.work

商用利用：OK

WinTT / MacTT / OpenType / MacPS

春夏秋冬、四季の移ろい
あいうえお カキクケコ
ABCDEFGHIJKLMNOPQRSTUVWXYZ1234567890

STANDARD COOL POP DESIGN

948 リフレッシュ 1Byte

作者▸ Graphic Arts Unit/高橋としゆき　URL▸ https://www.graphicartsunit.com/gaupra/

商用利用：OK（一部ケースは要連絡）

WinTT　MacTT　OpenType　MacPS

キセツノウツロイ
アイウエオ　カキクケコ
サシスセソ　タチツテト　ナニヌネノ

949 リラックス 1Byte

作者▸ Graphic Arts Unit/高橋としゆき　URL▸ https://www.graphicartsunit.com/gaupra/

商用利用：OK（一部ケースは要連絡）

WinTT　MacTT　OpenType　MacPS

キセツノウツロイ
アイウエオ　カキクケコ
サシスセソ　タチツテト　ナニヌネノ

950 しろうさぎ 1Byte

作者▸ Graphic Arts Unit/高橋としゆき　URL▸ https://www.graphicartsunit.com/gaupra/

商用利用：OK（一部ケースは要連絡）

WinTT　MacTT　OpenType　MacPS

きせつのうつろい
あいうえお　かきくけこ
さしすせそ　たちつてと　なにぬねの

951 たんぽぽ 1Byte

作者▸ Graphic Arts Unit/高橋としゆき　URL▸ https://www.graphicartsunit.com/gaupra/

商用利用：OK（一部ケースは要連絡）

WinTT　MacTT　OpenType　MacPS

きせつのうつろい
あいうえお　かきくけこ
さしすせそ　たちつてと　なにぬねの

952 すくーるひらがな 1Byte

作者▸ Viewlogic　URL▸ http://viewlogic.jp/

商用利用：要事前連絡

WinTT　MacTT　OpenType　MacPS

きせつのうつろい
あいうえお　かきくけこ
さしすせそ　たちつてと　なにぬねの

953 りいてがきN 2Byte

作者▸ あおいりい　URL▸ http://aoirii.babyblue.jp/font/index.html

商用利用：OK（連絡希望）

WinTT　MacTT　OpenType　MacPS

春夏秋冬、四季の移ろい
あいうえお　カキクケコ
ABCDEFGHIJKLMNOPQRSTUVWXYZ1234567890

954 りいてがき筆

2Byte

作者▸ あおいりい　URL▸ http://aoirii.babyblue.jp/font/index.html

商用利用：OK（連絡希望）

WinTT / MacTT / OpenType / MacPS

春夏秋冬、四季の移ろい
あいうえお カキクケコ
ABCDEFGHIJKLMNOPQRSTUVWXYZ1234567890

955 りいポップ角

2Byte

作者▸ あおいりい　URL▸ http://aoirii.babyblue.jp/font/index.html

商用利用：OK（連絡希望）

WinTT / MacTT / OpenType / MacPS

春夏秋冬、四季の移ろい
あいうえお カキクケコ
ABCDEFGHIJKLMNOPQRSTUVWXYZ1234567890

956 AK-koroPokkur H,K,R

1Byte

作者▸ あくび印　URL▸ http://pandachan.jp/

商用利用：カンパウェア

WinTT / MacTT / OpenType / MacPS

きせつのうつろい
アイウエオ カキクケコ
ABCDEFGHIJKLMNOPQRSTUVWXYZ 1234567890

957 AK-OSARU R&H

1Byte

作者▸ あくび印　URL▸ http://pandachan.jp/

商用利用：カンパウェア

WinTT / MacTT / OpenType / MacPS

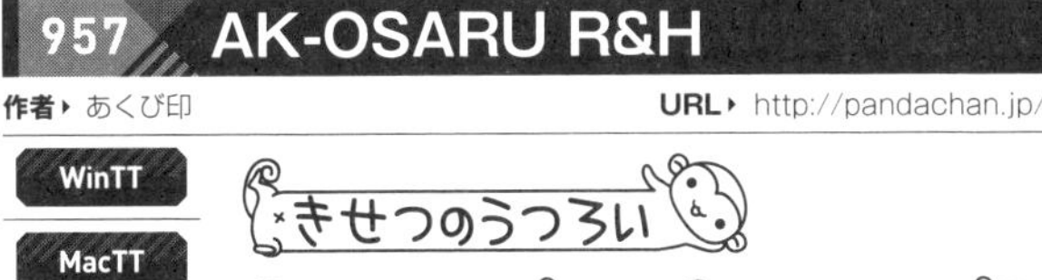

958 AKうーぱー

2Byte

作者▸ あくび印　URL▸ http://pandachan.jp/

商用利用：カンパウェア

WinTT / MacTT / OpenType / MacPS

きせつのうつろい
アイウエオ カキクケコ
ABCDEFGHIJKLMNOPQRSTUVWXYZ1234567890

959 AKるーぱー

2Byte

作者▸ あくび印　URL▸ http://pandachan.jp/

商用利用：カンパウェア

WinTT / MacTT / OpenType / MacPS

きせつのうつろい
あいうえお かきくけこ
さしすせそ たちつてと なにぬねの 1234567890

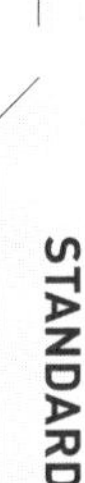

960 あくびん

2Byte

作者 ▸ あくび印　URL ▸ http://pandachan.jp/

商用利用：カンパウェア

WinTT / MacTT / OpenType / MacPS

春夏秋冬、四季の移ろい
あいうえお カキクケコ
ABCDEFGHIJKLMNOPQRSTUVWXYZ1234567890

961 おさんぽ

1Byte

作者 ▸ あくび印　URL ▸ http://pandachan.jp/

商用利用：カンパウェア

WinTT / MacTT / OpenType / MacPS

きせつのうつろい
あいうえお かきくけこ
ABCDEFGHIJKLMNOPQRSTUVWXYZ 1234567890

962 くれよん

2Byte

作者 ▸ あくび印　URL ▸ http://pandachan.jp/

商用利用：カンパウェア

WinTT / MacTT / OpenType / MacPS

きせつのうつろい
アイウエオ カキクケコ
ABCDEFGHIJKLMNOPQRSTUVWXYZ1234567890

963 じゃぽねすく

2Byte

作者 ▸ あくび印　URL ▸ http://pandachan.jp/

商用利用：カンパウェア

WinTT / MacTT / OpenType / MacPS

春夏秋冬、四季の移ろい
あいうえお カキクケコ
ABCDEFGHIJKLMNOPQRSTUVWXYZ1234567890

964 TrueType Colleciton Font No.001

2Byte

作者 ▸ 井上デザイン・井上優　URL ▸ http://idfont.jp/

商用利用：OK

WinTT / MacTT / OpenType / MacPS

965 TrueType Colleciton Font No.002

2Byte

作者 ▸ 井上デザイン・井上優　URL ▸ http://idfont.jp/

商用利用：OK

WinTT / MacTT / OpenType / MacPS

966 TrueType Colleciton Font No.007
2Byte

作者▸ 井上デザイン・井上優　URL▸ http://idfont.jp/

商用利用：OK

WinTT
MacTT
OpenType
MacPS

キセツノウツロイ
アイウエオ カキクケコ
サシスセソ タチツテト ナニヌネノ123467890

967 TrueType Colleciton Font No.008
2Byte

作者▸ 井上デザイン・井上優　URL▸ http://idfont.jp/

商用利用：OK

WinTT
MacTT
OpenType
MacPS

キセツノウツロイ
アイウエオ カキクケコ
サシスセソ タチツテト ナニヌネノ123467890

968 TrueType Colleciton Font No.009
2Byte

作者▸ 井上デザイン・井上優　URL▸ http://idfont.jp/

商用利用：OK

WinTT
MacTT
OpenType
MacPS

キセツノウツロイ
アイウエオ カキクケコ
サシスセソ タチツテト ナニヌネノ123467890

969 TrueType Colleciton Font No.012
2Byte

作者▸ 井上デザイン・井上優　URL▸ http://idfont.jp/

商用利用：OK

WinTT
MacTT
OpenType
MacPS

キセツノウツロイ
アイウエオ カキクケコ
サシスセソ タチツテト ナニヌネノ123467890

970 TrueType Colleciton Font No.020
2Byte

作者▸ 井上デザイン・井上優　URL▸ http://idfont.jp/

商用利用：OK

WinTT
MacTT
OpenType
MacPS

キセツノウツロイ
アイウエオ カキクケコ
サシスセソ タチツテト ナニヌネノ123467890

971 TrueType Colleciton Font No.023
2Byte

作者▸ 井上デザイン・井上優　URL▸ http://idfont.jp/

商用利用：OK

WinTT
MacTT
OpenType
MacPS

きせつのうつろい
アイウエオ カキクケコ
あいうえお かきくけこ サシスセソ タチツテト123467890

972 TrueType Colleciton Font No.024
2Byte

作者 ▸ 井上デザイン・井上優　URL ▸ http://idfont.jp/

商用利用：OK

WinTT / MacTT / OpenType / MacPS

きせつのうつろい
アイウエオ カキクケコ
あいうえお かきくけこ サシスセソ タチツテト1234567890

973 TrueType Colleciton Font No.027
2Byte

作者 ▸ 井上デザイン・井上優　URL ▸ http://idfont.jp/

商用利用：OK

WinTT / MacTT / OpenType / MacPS

きせつのうつろい
アイウエオ カキクケコ
あいうえお かきくけこ サシスセソ タチツテト1234567890

974 あいでぃーぽっぷふとまる
2Byte

作者 ▸ 井上デザイン・井上優　URL ▸ http://idfont.jp/

商用利用：OK（一部ケースは要連絡）

WinTT / MacTT / OpenType / MacPS

春夏秋冬、四季の移ろい
あいうえお カキクケコ
ABCDEFGHIJKLMNOPQRSTUVWXYZ1234567890

975 あいでぃーぽっぷまる
2Byte

作者 ▸ 井上デザイン・井上優　URL ▸ http://idfont.jp/

商用利用：OK（一部ケースは要連絡）

WinTT / MacTT / OpenType / MacPS

春夏秋冬、四季の移ろい
あいうえお カキクケコ
ABCDEFGHIJKLMNOPQRSTUVWXYZ1234567890

976 marinfont2
2Byte

作者 ▸ オオモリ　URL ▸ http://www.geocities.jp/mild4128/

商用利用：要事前連絡

WinTT / MacTT / OpenType / MacPS

キセツノウツロイ　キセツノウツロイ
アイウエオ　アイウエオ カキクケコ
カキクケコ サシスセソ　カキクケコ サシスセソ タチツテト

977 くろくにゅら
2Byte

作者 ▸ きゃきらん　URL ▸ http://bakafonts.kyakirun.com

商用利用：OK

WinTT / MacTT / OpenType / MacPS

きせつのうつろい
アイウエオ カキクケコ
ABCDEFGHIJKLMNOPQRSTUVWXYZ1234567890

978 チバラキ　ナウ

2Byte

作者▸ きゃきらん　URL▸ http://bakafonts.kyakirun.com

商用利用：OK

WinTT / MacTT

きせつのうつろい

アイウエオ　カキクケコ

ABCDEFGHIJKLMNOPQRSTUVWXYZ1234567890

979 チバラキ　ラヴ

2Byte

作者▸ きゃきらん　URL▸ http://bakafonts.kyakirun.com

商用利用：OK

WinTT

きせつのうつろい

アイウエオ　カキクケコ

ABCDEFGHIJKLMNOPQRSTUVWXYZ1234567890

980 トウキョウハニーチャン

2Byte

作者▸ きゃきらん　URL▸ http://bakafonts.kyakirun.com

商用利用：OK

WinTT / OpenType

キセツノウツロイ

アイウエオ　カキクケコ

ABCDEFGHIJKLMNOPQRSTUVWXYZ1234567890

981 トッカンコージ

2Byte

作者▸ きゃきらん　URL▸ http://bakafonts.kyakirun.com

商用利用：OK

WinTT / OpenType

キセツノウツロイ

アイウエオ　カキクケコ

ABCDEFGHIJKLMNOPQRSTUVWXYZ1234567890

982 ヘタレ字

2Byte

作者▸ きゃきらん　URL▸ http://bakafonts.kyakirun.com

商用利用：OK

WinTT

春夏秋冬、四季の移ろい

あいうえお　カキクケコ

ABCDEFGHIJKLMNOPQRSTUVWXYZ1234567890

983 ラブラブ

2Byte

作者▸ きゃきらん　URL▸ http://bakafonts.kyakirun.com

商用利用：OK

WinTT / OpenType

きせつのうつろい　きせつのうつろい

アイウエオ　アイウエオ

ABCDEFGHIJKL1234567890　ABCDEFGHIJKL1234567890

984 よもぎフォント
2Byte

作者▸ さつやこ　URL▸ http://www.asterism-m.com

商用利用：OK

WinTT / MacTT / OpenType / MacPS

春夏秋冬、四季の移ろい
あいうえお カキクケコ
ABCDEFGHIJKLMNOPQRSTUVWXYZ1234567890

985 たぬき油性マジック
2Byte

作者▸ たぬき侍　URL▸ http://tanukifont.com/

商用利用：OK

WinTT / MacTT / OpenType / MacPS

春夏秋冬、四季の移ろい
あいうえお カキクケコ
ABCDEFGHIJKLMNOPQRSTUVWXYZ1234567890

986 あんずもじ
2Byte

作者▸ 京風子　URL▸ http://www8.plala.or.jp/p_dolce/

商用利用：OK（連絡希望）

WinTT / MacTT / OpenType / MacPS

春夏秋冬、四季の移ろい
あいうえお カキクケコ
ABCDEFGHIJKLMNOPQRSTUvwxYz1234567890

■□▲△▼▽
◆◇○◎●◯★☆♀♂♪♭#

987 あんずもじ始
2Byte

作者▸ 京風子　URL▸ http://www8.plala.or.jp/p_dolce/

商用利用：OK（連絡希望）

WinTT / MacTT / OpenType / MacPS

春夏秋冬、四季の移ろい
あいうえお カキクケコ
ABCDEFGHIJKLMNOPQRSTUVWXYZ1234567890

988 あんずもじ始等幅
2Byte

作者▸ 京風子　URL▸ http://www8.plala.or.jp/p_dolce/

商用利用：OK（連絡希望）

WinTT / MacTT / OpenType / MacPS

春夏秋冬、四季の移ろい
あいうえお カキクケコ
ABCDEFGHIJKLMNOPQRSTUVWXYZ1234567890

989 あんずもじ奏
2Byte

作者▸ 京風子　URL▸ http://www8.plala.or.jp/p_dolce/

商用利用：OK（連絡希望）

WinTT / MacTT / OpenType / MacPS

春夏秋冬、四季の移ろい
あいうえお カキクケコ
ABCDEFGHIJKLMNOPQRSTUvwxYz1234567890

□▲△▼
▽◆◇○◎●★☆♀♂♪♭#

990 あんずもじ湛 2Byte

作者▸ 京風子　URL▸ http://www8.plala.or.jp/p_dolce/

商用利用：OK(連絡希望)

WinTT

春夏秋冬、四季の移ろい
あいうえお カキクケコ
ABCDEFGHIJKLMNOPQRSTUVWXYZ1234567890

ABCDEFGHIJKLMN
OPQRSTUVWXYZ
abcdefghijklmnopqrstuv
1234567890

991 あんずもじ等幅 2Byte

作者▸ 京風子　URL▸ http://www8.plala.or.jp/p_dolce/

商用利用：OK(連絡希望)

WinTT

春夏秋冬、四季の移ろい
あいうえお カキクケコ
ABCDEFGHIJKLMNOPQRSTUVWXYZ1234567890

992 ゆず ペン字 2Byte

作者▸ 神楽坂柚　URL▸ http://black-yuzunyan.lolipop.jp/

商用利用：OK

WinTT

春夏秋冬、四季の移ろい
あいうえお カキクケコ
ABCDEFGHIJKLMNOPQRSTUVWXYZ1234567890

993 ゆず ポップ 2Byte

作者▸ 神楽坂柚　URL▸ http://black-yuzunyan.lolipop.jp/

商用利用：OK

WinTT

春夏秋冬、四季の移ろい
あいうえお カキクケコ
ABCDEFGHIJKLMNOPQRSTUVWXYZ1234567890

994 にくきゅう 2Byte

作者▸ 鈴木るいち　URL▸ http://honya.nyanta.jp/

商用利用：カンパウェア

WinTT

きせつのうつろい
アイウエオ カキクケコ
ABCDEFGHIJKLMNOPQRSTUVWXYZ1234567890

995 ほにゃ字 2Byte

作者▸ 鈴木るいち　URL▸ http://honya.nyanta.jp/

商用利用：カンパウェア

WinTT

春夏秋冬、四季の移ろい
あいうえお カキクケコ
ABCDEFGHIJKLMNOPQRSTUVWXYZ1234567890

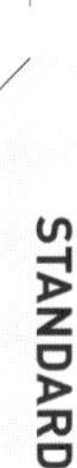

996 もじゃじ

2Byte

作者▸ 鈴木るいち　URL▸ http://honya.nyanta.jp/

商用利用：カンパウェア

WinTT　MacTT　OpenType　MacPS

きせつのうつろい
アイウエオ カキクケコ
あいうえお かきくけこ サシスセソ タチツテト

997 こころフォント

2Byte

作者▸ rain-road（rina）　URL▸ http://rain-road.com/

商用利用：要事前連絡

998 アンニャントロマン

2Byte

作者▸ 稲塚 春　URL▸ http://inatsuka.com/

商用利用：OK

999 はらませにゃんこ

2Byte

作者▸ 稲塚 春　URL▸ http://inatsuka.com/

商用利用：OK

1000 ぱぐのみんちょmini

2Byte

作者▸ ヤマナカデザインワークス　URL▸ http://ymnk-design.com

商用利用：不可(同人活動OK)

1001 プぷプmini

2Byte

作者▸ ヤマナカデザインワークス　URL▸ http://ymnk-design.com

商用利用：不可(同人活動OK)

WinTT　MacTT　OpenType　MacPS

きせつのうつろい
アイウエオ カキクケコ
あいうえお かきくけこ サシスセソ タチツテト

デザイン

DESIGN

デザイン性の高いフォントや、一風変わったフォントなど

1002 不忘フェルトペン

2Byte

作者▸ 株式会社不忘印刷所　URL▸ http://fuboh.jp/

商用利用：OK

WinTT / MacTT / OpenType / MacPS

春夏秋冬、四季の移ろい
あいうえお カキクケコ
ABCDEFGHIJKLMNOPQRSTUVWXYZ1234567890

1003 IKれんめんちっく

2Byte

作者▸ dwuk/イソガキカズノリ　URL▸ https://www.dwuk.jp/

商用利用：要事前連絡

WinTT / MacTT / OpenType / MacPS

きせつのうつろい
あいうえお かきくけこ
さしすせそ たちつてと なにぬねの

1004 アオイカク

2Byte

作者▸ dwuk/イソガキカズノリ　URL▸ https://www.dwuk.jp/

商用利用：要事前連絡

WinTT / MacTT / OpenType / MacPS

キセツノウツロイ
アイウエオ カキクケコ
サシスセソ タチツテト ナニヌネノ

1005 あやせ

2Byte

作者▸ dwuk/イソガキカズノリ　URL▸ https://www.dwuk.jp/

商用利用：要事前連絡

WinTT / MacTT / OpenType / MacPS

きせつのうつろい
アイウエオ カキクケコ
あいうえお かきくけこ サシスセソ タチツテト

1006 オオザカイ

2Byte

作者▸ dwuk/イソガキカズノリ　URL▸ https://www.dwuk.jp/

商用利用：要事前連絡

WinTT / MacTT / OpenType / MacPS

キセツノウツロイ
アイウエオ カキクケコ
サシスセソ タチツテト ナニヌネノ

1007 ゴウラ

2Byte

作者 ▸ dwuk/イソガ ヰカズノリ　URL ▸ https://www.dwuk.jp/

商用利用：要事前連絡

WinTT　MacTT

キセツノウツロイ
アイウエオ カキクケコ
サシスセソ タチツテト ナニヌネノ

1008 ハリガネーゼ

2Byte

作者 ▸ dwuk/イソガ ヰカズノリ　URL ▸ https://www.dwuk.jp/

商用利用：要事前連絡

WinTT　MacTT

キセツノウツロイ
アイウエオ カキクケコ
サシスセソ タチツテト ナニヌネノ

1009 マダラ

2Byte

作者 ▸ dwuk/イソガ ヰカズノリ　URL ▸ https://www.dwuk.jp/

商用利用：要事前連絡

WinTT　MacTT

キセツノウツロイ
アイウエオ カキクケコ
サシスセソ タチツテト ナニヌネノ

1010 イバラ字

2Byte

作者 ▸ fub工房　URL ▸ https://fub-koubou.work

商用利用：OK

WinTT

1011 切絵字

2Byte

作者 ▸ fub工房　URL ▸ https://fub-koubou.work

商用利用：OK

WinTT

1012 水面字

2Byte

作者 ▸ fub工房　URL ▸ https://fub-koubou.work

商用利用：OK

WinTT

1013 ふぉんとうは怖い明朝体

2Byte

作者▸ fontな　URL▸ http://www.fontna.com/

商用利用：OK

WinTT / MacTT / OpenType / MacPS

春夏秋冬、四季の移ろい
あいうえお カキクケコ
ABCDEFGHIJKLMNOPQRSTUVWXYZ1234567890

1014 ラノベポップ

2Byte

作者▸ fontな　URL▸ http://www.fontna.com/

商用利用：OK

WinTT / MacTT / OpenType / MacPS

春夏秋冬、四季の移ろい
あいうえお カキクケコ
ABCDEFGHIJKLMNOPQRSTUVWXYZ1234567890

1015 ドーナツショップ

1Byte

作者▸ Graphic Arts Unit/高橋としゆき　URL▸ https://www.graphicartsunit.com/gaupra/

商用利用：OK（一部ケースは要連絡）

WinTT / MacTT / OpenType / MacPS

キセツノウツロイ
アイウエオ カキクケコ
サシスセソ タチツテト ナニヌネノ

1016 カリン91

1Byte

作者▸ Graphic Arts Unit/高橋としゆき　URL▸ https://www.graphicartsunit.com/gaupra/

商用利用：OK（一部ケースは要連絡）

WinTT / MacTT / OpenType / MacPS

キセツノウツロイ
アイウエオ カキクケコ
サシスセソ タチツテト ナニヌネノ

1017 クサナギ

1Byte

作者▸ Graphic Arts Unit/高橋としゆき　URL▸ https://www.graphicartsunit.com/gaupra/

商用利用：OK（一部ケースは要連絡）

WinTT / MacTT / OpenType / MacPS

キセツノウツロイ
アイウエオ カキクケコ
サシスセソ タチツテト ナニヌネ

1018 ニコモジ+

2Byte

作者▸ Ku-Ku　URL▸ http://nicofont.pupu.jp/

商用利用：OK

WinTT / MacTT / OpenType / MacPS

春夏秋冬、四季の移ろい
あいうえお カキクケコ
ABCDEFGHIJKLMNOPQRSTUVWXYZ1234567890

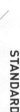

1019 ニコカ
2Byte

作者▸ Ku-Ku　URL▸ http://nicofont.pupu.jp/

商用利用：OK

WinTT / MacTT / OpenType / MacPS

春夏秋冬、四季の移ろい

あいうえお カキクケコ

ABCDEFGHIJKLMNOPQRSTUVWXYZ1 234567890

1020 ニコ角
2Byte

作者▸ Ku-Ku　URL▸ http://nicofont.pupu.jp/

商用利用：OK

WinTT / MacTT / OpenType / MacPS

春夏秋冬、四季の移ろい

あいうえお カキクケコ

ABCDEFGHIJKLMNOPQRSTUVWXYZ1 234567890

1021 coopchick
1Byte

作者▸ rain-road（rina）　URL▸ http://rain-road.com/

商用利用：要事前連絡

WinTT / MacTT / OpenType / MacPS

キセツノウツロイ

アイウエオ　カキクケコ

サシスセソ　タチツテト　ナニヌネノ　♥♡♪

1022 coopchick bold
1Byte

作者▸ rain-road（rina）　URL▸ http://rain-road.com/

商用利用：要事前連絡

WinTT / MacTT / OpenType / MacPS

キセツノウツロイ

アイウエオ　カキクケコ

サシスセソ　タチツテト　ナニヌネノ　♥♡♫☺

1023 coopchick edge
1Byte

作者▸ rain-road（rina）　URL▸ http://rain-road.com/

商用利用：要事前連絡

WinTT / MacTT / OpenType / MacPS

キセツノウツロイ

アイウエオ　カキクケコ

サシスセソ　タチツテト　ナニヌネノ　♡♥♪

1024 できそこないフォント
2Byte

作者▸ rain-road（rina）　URL▸ http://rain-road.com/

商用利用：要事前連絡

WinTT / MacTT / OpenType / MacPS

きせつのうつろい

アイウエオ　カキクケコ

ABCDEFGHIJKLMNOPQRSTUVWXYZ1234567890

1025 できそこないもじ スリーディー　1Byte

作者▸ rain-road（rina）　URL▸ http://rain-road.com/

商用利用：要事前連絡

WinTT / MacTT / OpenType / MacPS

きせつのうつろい
あいうえお かきくけこ
さしすせそ たちつてと なにぬねの ♡♥♪◎

1026 フナモリ カタカナ　1Byte

作者▸ TINY FACTORY　URL▸ http://www.tinyfactory.org/

商用利用：OK(連絡希望)

WinTT / MacTT / OpenType / MacPS

キセツノウツロイ
アイウエオ カキクケコ
サシスセソ タチツテト ナニヌネノ

1027 Kanji Stroke Order Font　2Byte

作者▸ Ulrich Apel/the AAAA project/the Wadoku project　URL▸ http://www.nihilist.org.uk/

商用利用：OK

WinTT / MacTT / OpenType / MacPS

春夏秋冬、四季の移ろい
あいうえお カキクケコ
ABCDEFGHIJKLMNOPQRSTUVWXYZ1234567890

1028 カルガモ　1Byte

作者▸ Viewlogic　URL▸ http://viewlogic.jp/

商用利用：要事前連絡

WinTT / MacTT / OpenType / MacPS

キセツノウツロイ
アイウエオ カキクケコ
サシスセソ タチツテト ナニヌネノ

1029 ジャンクションカタカナ　1Byte

作者▸ Viewlogic　URL▸ http://viewlogic.jp/

商用利用：要事前連絡

WinTT / MacTT / OpenType / MacPS

キセツノウツロイ
アイウエオ カキクケコ
サシスセソ タチツテト ナニヌネノ

1030 スクールカタカナ　1Byte

作者▸ Viewlogic　URL▸ http://viewlogic.jp/

商用利用：要事前連絡

WinTT / MacTT / OpenType / MacPS

キセツノウツロイ
アイウエオ カキクケコ
サシスセソ タチツテト ナニヌネノ

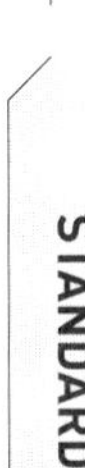

1031 ブレッドカタカナ 1Byte

作者▸ Viewlogic　URL▸ http://viewlogic.jp/

商用利用：要事前連絡

WinTT / MacTT / OpenType / MacPS

キセツノウツロイ
アイウエオ カキクケコ
サシスセソ タチツテト ナニヌネノ

1032 あくびっと12 R&H 1Byte

作者▸ あくび印　URL▸ http://pandachan.jp/

商用利用：カンパウェア

WinTT / MacTT / OpenType / MacPS

きせつのうつろい
あいうえお かきくけこ
ABCDEFGHIJKLMNOPQRSTUVWXYZ1234567890

1033 ぷちはんど ほそぺん 1Byte

作者▸ あくび印　URL▸ http://pandachan.jp/

商用利用：カンパウェア

WinTT / MacTT / OpenType / MacPS

きせつのうつろい
アイウエオ カキクケコ
ABCDEFGHIJKLMNOPQRSTUVWXYZ1234567890

1034 ふるーつぽんち 1Byte

作者▸ あくび印　URL▸ http://pandachan.jp/

商用利用：カンパウェア

WinTT / MacTT / OpenType / MacPS

きせつのうつろい
あいうえお かきくけこ
ABCDEFGHIJKLMNOPQRSTUVWXYZ1234567890

1035 壊雲体 2Byte

作者▸ 井上デザイン・井上優　URL▸ http://idfont.jp/

商用利用：OK（一部ケースは要連絡）

WinTT / MacTT / OpenType / MacPS

春夏秋冬、四季の移ろい
あいうえお カキクケコ
ABCDEFGHIJKLMNOPQRSTUVWXYZ1234567890

1036 bitfontJ 2Byte

作者▸ オオモリ　URL▸ http://www.geocities.jp/mild4128/

商用利用：要事前連絡

WinTT / MacTT / OpenType / MacPS

キセツノウツロイ
アイウエオ カキクケコ
ABCDEFGHIJKLMN 1234567890

キセツノウツロイ
アイウエオ カキクケコ
ABCDEFGHIJKLMNOPQRSTUVWXYZ

1037 Chain Reaction

2Byte

作者▸ きゃきらん　URL▸ http://bakafonts.kyakirun.com

商用利用：OK

WinTT　MacTT　OpenType　MacPS

キゼンノゲンロイ
アイウエオ　カキクケコ
ABCDEFGHIJKIJKLMNOPQ 1234567890

キゼンノゲンロイ
アイウエオ　カキクケコ
ABCDEFGHIJKIJKLMNOPQ 1234567890

1038 オヒゲ

2Byte

作者▸ きゃきらん　URL▸ http://bakafonts.kyakirun.com

商用利用：OK

WinTT　MacTT　OpenType　MacPS

キセツノウツロイ
アイウエオ　カキクケコ
サシスセソ　タチツテト　ナニヌネノ

1039 醐銃怨

1Byte

作者▸ きゃきらん　URL▸ http://bakafonts.kyakirun.com

商用利用：OK

WinTT　MacTT　OpenType　MacPS

鬼世津野宇津露威
亜威宇江尾　禍鬼苦毛虎
矽死酢世粗　蛇血津手闘　奈仁濡根野

1040 トンガル

2Byte

作者▸ きゃきらん　URL▸ http://bakafonts.kyakirun.com

商用利用：OK

WinTT　MacTT　OpenType　MacPS

キセツノウツロイ
アイウエオ　カキクケコ
サシスセソ　タチツテト　ナニヌネノ　1234567890

1041 ヒュンヒュン

2Byte

作者▸ きゃきらん　URL▸ http://bakafonts.kyakirun.com

商用利用：OK

WinTT　MacTT　OpenType　MacPS

キセツノウツロイ
アイウエオ　カキクケコ
サシスセソ　タチツテト　ナニヌネノ　1234567890

1042 ボスケテ

2Byte

作者▸ きゃきらん　URL▸ http://bakafonts.kyakirun.com

商用利用：OK

WinTT　MacTT　OpenType　MacPS

キセツノウツロイ
アイウエオ　カキクケコ
サシスセソ　タチツテト　ナニヌネノ　1234567890

1043 みみず 2Byte

作者▸ きゃきらん　URL▸ http://bakafonts.kyakirun.com

商用利用：OK

WinTT / OpenType

きせつのうつろい
アイウエオ カキクケコ
ABCDEFGHIJKLMNOPQRSTUVWXYZ1234567890

1044 ゆらゆら ひらがな 1Byte

作者▸ きゃきらん　URL▸ http://bakafonts.kyakirun.com

商用利用：OK

WinTT / OpenType

きせつのうつろい
あいうえお かきくけこ
さしすせそ たちつてと なにぬねの

1045 毛虫 2Byte

作者▸ きゃきらん　URL▸ http://bakafonts.kyakirun.com

商用利用：OK

WinTT / MacTT / OpenType

きせつのうつろい
アイウエオ カキクケコ
ABCDEFGHIJKLMNOPQRSTUVWXYZ1234567890

1046 ハイリア仮名 2Byte

作者▸ サトウケイイチ　URL▸ http://gebsite.org/

商用利用：要事前連絡

WinTT

キセツノウツロイ
アイウエオ カキクケコ
サシスセソ タチツテト ナニヌネノ 1234567890

1047 ようじょふぉんと 2Byte

作者▸ たぬき侍　URL▸ http://tanukifont.com/

商用利用：OK

WinTT

きせつのうつろい
あいうえお かきくけこ
さしすせそ たちつてと なにぬねの 1234567890

1048 白舟印相体教漢 2Byte

作者▸ 株式会社白舟書体　URL▸ http://www.hakusyu.com/

商用利用：要事前連絡

WinTT / MacTT

春夏秋冬、四節の移ろい
あいうえお カキクケコ
ABCDEFGHIJKLMNOPQRSTUVWXYZ1234567890

1049 白舟古印体教漢

2Byte

作者▸ 株式会社白舟書体　**URL▸** http://www.hakusyu.com/

商用利用：要事前連絡

WinTT　MacTT

春夏秋冬、四季の移ろい
あいうえお カキクケコ
ABCDEFGHIJKLMNOPQRSTUVWXYZ1234567890

1050 白舟篆古印教漢

2Byte

作者▸ 株式会社白舟書体　**URL▸** http://www.hakusyu.com/

商用利用：要事前連絡

WinTT　MacTT

春夏秋冬、四季の移ろい
あいうえお カキクケコ
ABCDEFGHIJKLMNOPQRSTUVWXYZ1234567890

1051 白舟篆書教漢

2Byte

作者▸ 株式会社白舟書体　**URL▸** http://www.hakusyu.com/

商用利用：要事前連絡

WinTT　MacTT

春夏秋冬、四季の移ろい
あいうえお カキクケコ
ABCDEFGHIJKLMNOPQRSTUVWXYZ1234567890

1052 オドリコ

2Byte

作者▸ 中井良尚　**URL▸** https://typingart.net/

商用利用：OK

OpenType

キセツノウツロイ
アイウエオ カキクケコ
サシスセソ タチツテト ナニヌネノ

1053 オリエンタル

2Byte

作者▸ 中井良尚　**URL▸** https://fontopo.com/

商用利用：OK

OpenType

キセツノウツロイ
アイウエオ カキクケコ
サシスセソ タチツテト ナニヌネノ

1054 ニクキュウ

2Byte

作者▸ 中井良尚　**URL▸** https://fontopo.com/

商用利用：OK

OpenType

キセツノウツロイ
アイウエオ カキクケコ
アイウエオ カキクケコ サシスセソ タチツテト

1055 フォントポにほんご

2Byte

作者▸ 中井良尚　URL▸ https://fontopo.com/

商用利用：OK

WinTT　MacTT　OpenType　MacPS

春夏秋冬、四季の移ろい
あいうえお カキクケコ
ABCDEFGHIJKLMNOPQRSTUVWXYZ1234567890

1056 プラネタリウム

2Byte

作者▸ 中井良尚　URL▸ https://typingart.net/

商用利用：OK

WinTT　MacTT　OpenType　MacPS

キセツノウツロイ
アイウエオ カキクケコ
ABCDEFGHIJKLMNOPQRSTUVWXYZ

1057 鏡文字明朝、鏡文字ゴシック

2Byte

作者▸ 武蔵システム　URL▸ https://opentype.jp/

商用利用：OK

WinTT　MacTT　OpenType　MacPS

1058 衡山毛筆フォント

2Byte

作者▸ 武蔵システム　URL▸ https://opentype.jp/

商用利用：OK

WinTT　MacTT　OpenType　MacPS

春夏秋冬、四季の移ろい
あいうえお カキクケコ
ABCDEFGHIJKLMNOPQRSTUVWXYZ1234567890

1059 衡山毛筆フォント行書

2Byte

作者▸ 武蔵システム　URL▸ https://opentype.jp/

商用利用：OK

WinTT　MacTT　OpenType　MacPS

春夏秋冬、四季の移ろい
あいうえお カキクケコ
ABCDEFGHIJKLMNOPQRSTUVWXYZ1234567890

1060 衡山毛筆フォント草書

2Byte

作者▸ 武蔵システム　URL▸ https://opentype.jp/

商用利用：OK

WinTT　MacTT　OpenType　MacPS

春夏秋冬、四季の移ろい
あいうえお カキクケコ
ABCDEFGHIJKLMNOPQRSTUVWXYZ1234567890

1061 青柳衡山フォントT

2Byte

作者▸ 武蔵システム　URL▸ https://opentype.jp/

商用利用：OK

WinTT / MacTT / OpenType / MacPS

春夏秋冬、四季の移ろい
あいうえお カキクケコ
ABCDEFGHIJKLMNOPQRSTUVWXYZ1234567890

1062 青柳疎石フォント

2Byte

作者▸ 武蔵システム　URL▸ https://opentype.jp/

商用利用：OK

WinTT / MacTT / OpenType / MacPS

春夏秋冬、四季の移ろい
あいうえお カキクケコ
ABCDEFGHIJKLMNOPQRSTUVWXYZ1234567890

1063 半角フォント

2Byte

作者▸ 武蔵システム　URL▸ https://opentype.jp/

商用利用：OK

WinTT / MacTT / OpenType / MacPS

春夏秋冬、四季の移ろい
あいうえお カキクケコ
ABCDEFGHIJKLMNOPQRSTUVWXYZ1234567890

春夏秋冬、四季の移ろい
あいうえお カキクケコ
ABCDEFGHIJKLMNOPQRSTUVWXYZ1234567890

1064 青柳隷書しも

2Byte

作者▸ 武蔵システム（元フォント製作:下河原　伸）　URL▸ https://opentype.jp/

商用利用：OK（連絡希望）

WinTT / MacTT / OpenType / MacPS

春夏秋冬、四季の移ろい
あいうえお カキクケコ
ABCDEFGHIJKLMNOPQRSTUVWXYZ1234567890

1065 美咲フォント

2Byte

作者▸ 門真 なむ　URL▸ https://littlelimit.net/

商用利用：OK

WinTT / MacTT / OpenType / MacPS

春夏秋冬、四季の
あいうえ カキクケ
ABCDEFGHIJKLMNOPQRSTUVWXYZ1234567890

1066 Hiran-Kanan

2Byte

作者▸ 矢萩多聞　URL▸ http://tamon.in/

商用利用：OK

WinTT / MacTT / OpenType / MacPS

きせつのうつろい
アイウエオ カキクケコ
あいうえお かきくけこ サシスセソ タチツテト

1067 昔々フォント 2Byte

作者▸ Gomarice Font　URL▸ http://gomaricefont.web.fc2.com

商用利用：OK

WinTT / MacTT / OpenType / MacPS

春夏秋冬、四季の移ろい
あいうえお カキクケコ
ABCDEFGHIJKLMNOPQRSTUVWXYZ1234567890

1068 黒薔薇ゴシック 2Byte

作者▸ MODI（モーディー）工場　URL▸ http://modi.jpn.org

商用利用：OK

WinTT / MacTT / OpenType / MacPS

春夏秋冬、四季の移ろい
あいうえお カキクケコ
ABCDEFGHIJKLMNOPQRSTUVWXYZ1234567890

1069 黒薔薇シンデレラ 2Byte

作者▸ MODI（モーディー）工場　URL▸ http://modi.jpn.org

商用利用：OK

WinTT / MacTT / OpenType / MacPS

春夏秋冬、四季の移ろい
あいうえお カキクケコ
ABCDEFGHIJKLMNOPQRSTUVWXYZ1234567890

1070 赤薔薇シンデレラ 2Byte

作者▸ MODI（モーディー）工場　URL▸ http://modi.jpn.org

商用利用：OK

WinTT / MacTT / OpenType / MacPS

春夏秋冬、四季の移ろい
あいうえお カキクケコ
ABCDEFGHIJKLMNOPQRSTUVWXYZ1234567890

1071 GD-TiVangerion3-JA（ちばフォント） 2Byte

作者▸ ぱんかれ　URL▸ http://www.hogera.com/pcb/

商用利用：OK

WinTT / MacTT / OpenType / MacPS

きせつのうつろい
アイウエオ カキクケコ
ABCDEFGHIJKLMNOPQRSTUVWXYZ1234567890

1072 GD-DOTFONT-DQ 2Byte

作者▸ ぱんかれ　URL▸ http://www.hogera.com/pcb/

商用利用：OK

WinTT / MacTT / OpenType / MacPS

きせつのうつろい
アイウエオ カキクケコ
ABCDEFGHIJKLMNOPQRSTUVWXYZ1234567890

アジアン
フリーフォントカタログ

FREE FONT CATALOG

ハングル	[13 FONTS]	ヒンドゥー語	[5 FONTS]
簡体字中国語	[4 FONTS]	ベンガル語	[2 FONTS]
繁体字中国語	[4 FONTS]	テルグ語	[2 FONTS]
タイ語	[4 FONTS]	アラビア語	[2 FONTS]

フォントカタログの見方

1 本書の収録ナンバー
2 フォント名
3 言語名(使用国)

1073 Black Han Sans ハングル(大韓民国･朝鮮民主主義人民共和国)

作者▸ Zess Type URL▸ https://fonts.google.com/specimen/Black+Han+Sans 商用利用：OK

WinTT / MacTT / OpenType / MacPS

일본에 잘 오셨습니다
가개갸거게겨고괴괘교구귀궤규그
ABCDEFGHIJKLMNOPQRSTUVWXYZ1234567890

4 フォントタイプ
5 作者名
6 作者サイトURL
7 商用利用の可否

1073 Black Han Sans
ハングル(韓国・北朝鮮)

作者▸ Zess Type　URL▸ https://fonts.google.com/specimen/Black+Han+Sans

商用利用：OK

WinTT MacTT OpenType MacPS

일본에 잘 오셨습니다

가개갸거게겨고괴괘교구귀궤규그

ABCDEFGHIJKLMNOPQRSTUVWXYZ1234567890

1074 Jua
ハングル(韓国・北朝鮮)

作者▸ Woowahan Brothers　URL▸ https://fonts.google.com/specimen/Jua

商用利用：OK

WinTT MacTT OpenType MacPS

일본에 잘 오셨습니다

가개갸거게겨고괴괘교구귀궤규그

ABCDEFGHIJKLMNOPQRSTUVWXYZ1234567890

1075 NanumGothic
ハングル(韓国・北朝鮮)

作者▸ Sandoll　URL▸ https://fonts.google.com/specimen/Nanum+Gothic

商用利用：OK

WinTT MacTT OpenType MacPS

일본에 잘 오셨습니다

가개갸거게겨고괴괘교구귀궤규그

ABCDEFGHIJKLMNOPQRSTUVWXYZ1234567890

1076 BlackAndWhitePicture
ハングル(韓国・北朝鮮)

作者▸ AsiaSoft Inc.　URL▸ https://fonts.google.com/specimen/Black+And+White+Picture

商用利用：OK

WinTT MacTT OpenType MacPS

일본에 잘 오셨습니다

가개갸거게겨고괴괘교구귀궤규그

ABCDEFGHIJKLMNOPQRSTUVWXYZ1234567890

1077 CuteFont
ハングル(韓国・北朝鮮)

作者▸ TypoDesign Lab.　URL▸ https://fonts.google.com/specimen/Cute+Font

商用利用：OK

WinTT MacTT OpenType MacPS

일본에 잘 오셨습니다

가개갸거게겨고괴괘교구귀궤규그

ABCDEFGHIJKLMNOPQRSTUVWXYZ1234567890

1078 Gaegu
ハングル(韓国・北朝鮮)

作者▸ JIKJI SOFT　URL▸ https://fonts.google.com/specimen/Gaegu

商用利用：OK

WinTT MacTT OpenType MacPS

일본에 잘 오셨습니다

가개갸거게겨고괴괘교구귀궤규그

ABCDEFGHIJKLMNOPQRSTUVWXYZ1234567890

1079 Nanum Gothic
ハングル（韓国・北朝鮮）

作者 ▸ Sandoll　URL ▸ https://fonts.google.com/specimen/Nanum+Gothic

商用利用：OK

WinTT　MacTT　OpenType　MacPS

일본에 잘 오셨습니다
가개갸거게겨고괴괘교구귀궤규그
ABCDEFGHIJKLMNOPQRSTUVWXYZ1234567890

1080 Nanum Gothic Coding
ハングル（韓国・北朝鮮）

作者 ▸ Sandoll　URL ▸ https://fonts.google.com/specimen/Nanum+Gothic+Coding

商用利用：OK

WinTT　MacTT　OpenType　MacPS

일본에 잘 오셨습니다
가개갸거게겨고괴괘교구귀궤규그
ABCDEFGHIJKLMNOPQRSTUVWXYZ1234567890

1081 Nanum Pen Script
ハングル（韓国・北朝鮮）

作者 ▸ Sandoll　URL ▸ https://fonts.google.com/specimen/Nanum+Pen+Script

商用利用：OK

WinTT　MacTT　OpenType　MacPS

일본에 잘 오셨습니다
가개갸거게겨고괴괘교구귀궤규그
ABCDEFGHIJKLMNOPQRSTUVWXYZ1234567890

1082 Nanum Brush Script
ハングル（韓国・北朝鮮）

作者 ▸ Sandoll　URL ▸ https://fonts.google.com/specimen/Nanum+Brush+Script

商用利用：OK

WinTT　MacTT　OpenType　MacPS

일본에 잘 오셨습니다
가개갸거게겨고괴괘교구귀궤규그
ABCDEFGHIJKLMNOPQRSTUVWXYZ1234567890

1083 Nanum Myeongjo
ハングル（韓国・北朝鮮）

作者 ▸ Fontrix　URL ▸ https://fonts.google.com/specimen/Nanum+Myeongjo

商用利用：OK

WinTT　MacTT　OpenType　MacPS

일본에 잘 오셨습니다
가개갸거게겨고괴괘교구귀궤규그
ABCDEFGHIJKLMNOPQRSTUVWXYZ1234567890

1084 Binggrae
ハングル（韓国・北朝鮮）

作者 ▸ BINGGRAE　URL ▸ http://www.bingfont.co.kr/

商用利用：OK（印章関連はNG）

WinTT　MacTT　OpenType　MacPS

일본에 잘 오셨습니다
가개갸거게겨고괴괘교구귀궤규그
ABCDEFGHIJKLMNOPQRSTUVWXYZ1234567890

1085 BinggraeⅡ

ハングル(韓国･北朝鮮)

作者▸ BINGGRAE　URL▸ http://www.bingfont.co.kr/

商用利用：OK(印章関連はNG)

WinTT / MacTT / OpenType / MacPS

일본에 잘 오셨습니다
가개갸거게겨고괴괘교구귀궤규그
ABCDEFGHIJKLMNOPQRSTUVWXYZ1234567890

1086 Noto Serif SC

簡体字中国語(中国･シンガポール･マレーシア)

作者▸ Google　URL▸ https://fonts.google.com/specimen/Noto+Serif+SC

商用利用：OK

WinTT / MacTT / OpenType / MacPS

欢迎来到日本
东南西北黑白红橙黄绿蓝马牛羊鸡犬
ABCDEFGHIJKLMNOPQRSTUVWXYZ1234567890

1087 ZCOOL KuaiLe

簡体字中国語(中国･シンガポール･マレーシア)

作者▸ ZCOOL　URL▸ https://fonts.google.com/specimen/ZCOOL+KuaiLe

商用利用：OK

WinTT / MacTT / OpenType / MacPS

欢迎来到日本
东南西北黑白红橙黄绿蓝马牛羊鸡犬
ABCDEFGHIJKLMNOPQRSTUVWXYZ1234567890

1088 ZCOOL XiaoWei

簡体字中国語(中国･シンガポール･マレーシア)

作者▸ ZCOOL　URL▸ https://fonts.google.com/specimen/ZCOOL+XiaoWei

商用利用：OK

WinTT / MacTT / OpenType / MacPS

欢迎来到日本
东南西北黑白红橙黄绿蓝马牛羊鸡犬
ABCDEFGHIJKLMNOPQRSTUVWXYZ1234567890

1089 ZCOOL QingKe HuangYou

簡体字中国語(中国･シンガポール･マレーシア)

作者▸ ZCOOL　URL▸ https://fonts.google.com/specimen/ZCOOL+QingKe+HuangYou

商用利用：OK

WinTT / MacTT / OpenType / MacPS

欢迎来到日本
东南西北黑白红橙黄绿蓝马牛羊鸡犬
ABCDEFGHIJKLMNOPQRSTUVWXYZ1234567890

1090 Noto Sans TC

繁体字中国語(台湾･香港･マカオ)

作者▸ Google　URL▸ https://fonts.google.com/specimen/Noto+Sans+TC

商用利用：OK

WinTT / MacTT / OpenType / MacPS

歡迎來到日本
東南西北黑白紅橙黃綠藍馬牛羊雞犬
ABCDEFGHIJKLMNOPQRSTUVWXYZ1234567890

1091 Noto Serif TC

繁体字中国語(台湾·香港·マカオ)

作者 ▸ Google　URL ▸ https://fonts.google.com/specimen/Noto+Serif+TC　商用利用：OK

WinTT　MacTT　OpenType　MacPS

歡迎來到日本
東南西北黑白紅橙黃綠藍馬牛羊雞犬
ABCDEFGHIJKLMNOPQRSTUVWXYZ1234567890

1092 Taipei Sans TC (Beta)

繁体字中国語(台湾·香港·マカオ)

作者 ▸ JT Foundry　URL ▸ https://sites.google.com/view/jtfoundry　商用利用：OK

WinTT　MacTT　OpenType　MacPS

歡迎來到日本
東南西北黑白紅橙黃綠藍馬牛羊雞犬
ABCDEFGHIJKLMNOPQRSTUVWXYZ1234567890

1093 Noto Sans HK

繁体字中国語/香港(香港)

作者 ▸ Google　URL ▸ https://fonts.google.com/specimen/Noto+Sans+HK　商用利用：OK

WinTT　MacTT　OpenType　MacPS

歡迎來到日本
東南西北黑白紅橙黃綠藍馬牛羊雞犬
ABCDEFGHIJKLMNOPQRSTUVWXYZ1234567890

1094 TH Sarabun New

タイ語(タイ)

作者 ▸ SIPA　URL ▸ https://www.f0nt.com/release/th-sarabun-new/　商用利用：OK

WinTT　MacTT　OpenType　MacPS

ยิน ดี ต้อน รับ มา เที่ยว ที่ ญี่ปุ่น
กขคฆงจฉชซฌญฎฏฐฑฒณดตถท
ABCDEFGHIJKLMNOPQRSTUVWXYZ1234567890

1095 TH Charmonman

タイ語(タイ)

作者 ▸ SIPA　URL ▸ https://www.f0nt.com/release/13-free-fonts-from-sipa/　商用利用：OK

WinTT　MacTT　OpenType　MacPS

ยิน ดี ต้อน รับ มา เที่ยว ที่ ญี่ปุ่น
กขคฆงจฉชซฌญฎฏฐฑฒณดตถท
ABCDEFGHIJKLMNOPQRSTUVWXYZ1234567890

1096 TH Krub

タイ語(タイ)

作者 ▸ SIPA　URL ▸ https://www.f0nt.com/release/14-free-fonts-from-sipa/　商用利用：OK

WinTT　MacTT　OpenType　MacPS

ยิน ดี ต้อน รับ มา เที่ยว ที่ ญี่ปุ่น
กขคฆงจฉชซฌญฎฏฐฑฒณดตถท
ABCDEFGHIJKLMNOPQRSTUVWXYZ1234567890

1097 Charm
タイ語(タイ)

作者▸ Cadson Demak　URL▸ https://fonts.google.com/specimen/Charm

商用利用：OK

1098 Jaldi
ヒンディー語(インド北部)

作者▸ Omnibus-Type　URL▸ https://fonts.google.com/specimen/Jaldi

商用利用：OK

1099 Modak
ヒンディー語(インド北部)

作者▸ Ek Type　URL▸ https://github.com/EkType/modak

商用利用：OK

1100 Mukta
ヒンディー語(インド北部)

作者▸ Ek Type　URL▸ https://fonts.google.com/specimen/Mukta

商用利用：OK

1101 Poppins
ヒンディー語(インド北部)

作者▸ Indian Type Foundry　URL▸ https://fonts.google.com/specimen/Poppins

商用利用：OK

1102 Teko
ヒンディー語(インド北部)

作者▸ Indian Type Foundry　URL▸ https://fonts.google.com/specimen/Teko

商用利用：OK

1103 Hind Siliguri
ベンガル語(バングラディシュ・インド東部)

作者▸ Indian Type Foundry　URL▸ https://fonts.google.com/specimen/Hind+Siliguri

商用利用：OK

WinTT

জাপানে স্বাগতম

অআইঈউঊঋ৯এঐওঔকখগঘঙচ

ABCDEFGHIJKLMNOPQRSTUVWXYZ1234567890

1104 Galada
ベンガル語(バングラディシュ・インド東部)

作者▸ Multiple Designers　URL▸ https://fonts.google.com/specimen/Galada

商用利用：OK

WinTT

জাপানে স্বাগতম

অআইঈউঊঋ৯এঐওঔকখগঘঙচ

ABCDEFGHIJKLMNOPQRSTUVWXYZ1234567890

1105 Baloo Tammudu 2
テルグ語(インド南東部)

作者▸ Ek Type　URL▸ https://fonts.google.com/specimen/Baloo+Tammudu+2

商用利用：OK

WinTT

జపాన్‌కు స్వాగతం

అఆఇఈఉఊఋఎఏఐఒఓఔఅ

ABCDEFGHIJKLMNOPQRSTUVWXYZ1234567890

1106 Mallanna
テルグ語(インド南東部)

作者▸ Purushoth Kumar Guttula　URL▸ https://fonts.google.com/specimen/Mallanna

商用利用：OK

WinTT

జపాన్‌కు స్వాగతం

అఆఇఈఉఊఋఎఏఐఒఓఔఅ

ABCDEFGHIJKLMNOPQRSTUVWXYZ1234567890

1107 Lateef
アラビア語(サウジアラビア・アラブ首長国連邦など)

作者▸ SIL International　URL▸ https://fonts.google.com/specimen/Lateef

商用利用：OK

WinTT

مرحباً بك في اليابان

أ ب ت ث ج ح خ د ذ ر ز س ش ص ض ط

ABCDEFGHIJKLMNOPQRSTUVWXYZ1234567890

1108 Changa
アラビア語(サウジアラビア・アラブ首長国連邦など)

作者▸ Eduardo Tunni　URL▸ https://fonts.google.com/specimen/Changa

商用利用：OK

ASIAN

フォントの基礎から使い方までを解説

フリーフォントの使い方

フリーフォントを利用するためのインストール手順から、フォントを使ううえで
知っておきたい基礎知識まで、まずは頭に入れておこう。

フォントを自分のPCで使えるように準備しよう

フリーフォントをインストール

本誌で紹介しているフリーフォントを利用するためには、フリーフォントをパソコンにインストールしておく必要がある。フォントのインストールはWindowsであれば非常に簡単だ。ただし、収録しているフリーフォントの多くはZIP形式などで圧縮されているので、207ページで紹介しているCubeICEなどで解凍するのを忘れずに。Macの場合はOSのバージョンでインストールの方法が異なるので気を付けよう。なお、フォントを大量にインストールするとパソコンの動作が重くなるので、使うフォントだけをなるべくインストールしよう。

Windowsにフォントをインストール

Windowsでは、TrueTypeフォントとOpenTypeフォントのインストールが可能。本誌では「WinTT」「OpenType」のアイコンがついているのがWindows対応フォントだ。これらのフォントを本誌付録DVD-ROMからデスクトップなどにコピーして、フォントファイル（「○○○.ttf」または「○○○.otf」）を右クリック。表示されたメニューから「インストール」を選択すればフォントがインストールされる。一度インストールすれば、Microsoft Officeなどでいつでもそのフォントが選択できるようになる。

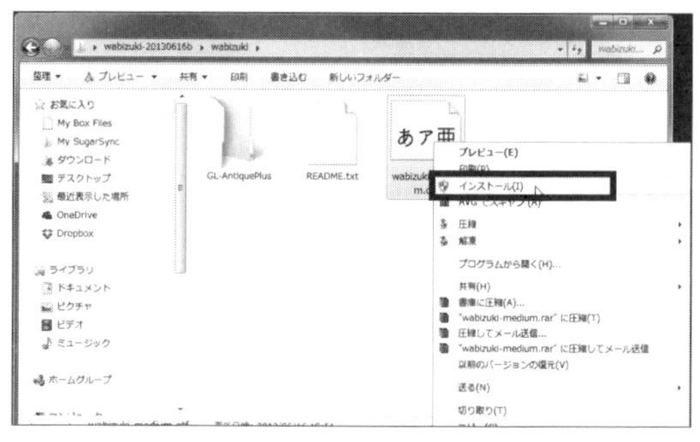

フォントファイルを右クリックして、表示されるメニューから「インストール」を選択すると、フォントのインストールが開始される。

Macにフォントをインストール

Macでは、OS X以降とOS 8/9で利用できるフォントが異なっている。OS X以降は従来の8/9のフォントに加え、Windows用のフォントと互換性を持っているため、本誌で紹介しているフォントのほとんどを利用することが可能。ただしWindowsの機種依存文字などは表示できないので利用する際は気を付けよう。フォントをインストールするにはアプリケーションから「Font Book」を起動し、フォントを選択して「開く」をクリックすればOKだ。

OS 8/9ではMac用TrueTypeフォント（MacTT）か、PostScriptフォント（MacPS）のフォントが利用できる。フォントのインストールは「システムフォルダ」の下にある「フォント」フォルダにフォントファイルをコピーしよう。PostScriptフォント（OTF形式を除く）をインストールする場合は、フォントフォルダにフォントスーツケースを同時にコピーするのを忘れないように。

フォントの種類について

フォントには、書体や表示形式など多くの分類があり、その性質を理解しておくことでフォントをより便利に利用することができる。配布されているファイル形式、フォントの書体、アウトラインまたはビットマップ形式、2byteフォントか1byteフォントであるかなどは、本誌付録のDVD-ROMを利用する上でも、ひととおり把握しておいたほうがよい。なお、利用しているOSによっては利用できないフォントもあるので注意しよう。

フォントには3つの形式がある

本誌で紹介しているフリーフォントには、「TrueTypeフォント」「OpenTypeフォント」「PostScriptフォント」の3種類のファイル形式がある（フォントによっては複数形式でフォントをリリースしている場合もある）。フォントのなかには拡張子が異なっている物もあるが、この3種類のいずれかに属していることがほとんどだ。Windowsでは基本的にTrueType形式とOpenType形式のフォントが利用できる。PostScript形式のフォントはMac OS用なので、Windowsユーザーは利用することができない。Mac OS XはWindowsフォントと互換性があるので、Windows用、Mac用両方のフォントが利用可能だ。

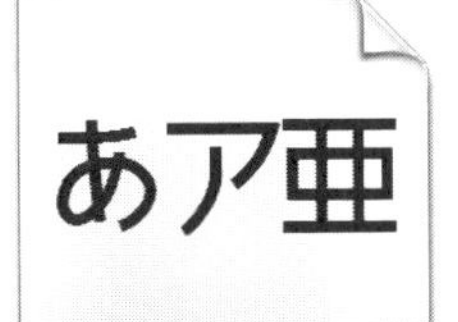

GDhwGoJA-TTF108b.ttf

TrueType

フリーフォントで広く使われている形式。アウトラインフォントで、文字を2次曲線データとして保存している。ドットでフォントを表示するビットマップフォントを埋め込むことも可能。拡張子は「.ttf」または「.ttc」。

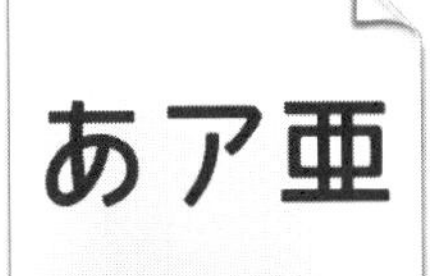

国鉄方向幕書体.otf

OpenType

TrueTypeの後継規格で、WindowsとMac OSで互換性を持つ。拡張子は「.otf」だがPostScriptとTrueTypeそれぞれをベースに作成することができ、TrueTypeをベースとして作られたフォントは拡張子が「.ttf」「.ttc」になる。

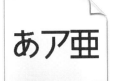
GauFonShi

PostScript

アドビシステムズが開発した、アウトラインフォント規格。文字をベジェ曲線で保存している。Mac OSで普及し、利用されている。インストールする場合には、フォントフォルダへのフォントスーツケースのコピーも忘れずに。

フォントファミリーがあれば太さの変更も可能

フォントによっては、ひとつのフォントで複数のウエイト（太さ）を選択できる物もある。そうしたウエイト（太さ）が異なるフォントの集まりは「ファミリー」と呼ばれる。フォントファミリーでは標準のウエイトは「レギュラー（R）」か「ミディアム（M）」であることが多く、これより細いフォントは「ライト（L）」、太いフォントは「ボールド（B）」と表記している。ただし、最近ではウエイトを「W1/W2/W3…」と表記するフォントも増えてきているので、こちらも合わせて覚えておきたい。

フォントのウエイト

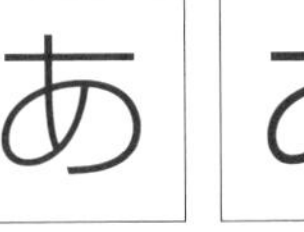

EL (W1)

L (W2)

R (W3)

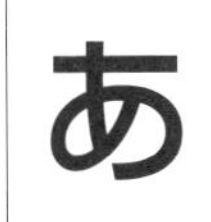

M (W4)

DB (W5)

あ
B (W6)

H (W7)

U (W8)

アウトラインフォントとビットマップフォント

フォントは表示方式によって、「アウトラインフォント」と「ビットマップフォント」にわけることができる。現在では拡大・縮小を行なっても、品質が変わらないアウトラインフォントが主流であり、Web上で公開されているフリーフォントや有料フォントはほとんどがアウトラインフォントとなっている。ビットマップフォントは低容量なので古いパソコンでは重宝するが、拡大・縮小すると表示が崩れる可能性があるため、使い方には注意が必要。とはいえ、最近ではビットマップフォントの拡大・縮小に対応したソフトも増えている。

アウトラインフォント

アウトラインフォントは、文字の輪郭を曲線のデータとして保存している。表示するためにはある程度のPCスペックが必要だったが、現在の家庭用のPCなら問題なく利用できる。現在の主流であるTrueTypeフォント、OpenTypeフォント、PostScriptフォントのいずれもアウトライン形式となっている。

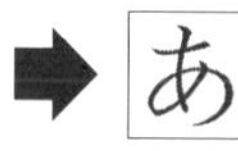

現在主流のアウトラインフォント。輪郭の線をデータとして保存しているため、拡大・縮小しても文字が崩れることがない。どれだけ拡大・縮小してもキレイに印刷できる。

ビットマップフォント

ビットマップフォントは、文字表現にドットを使用することで低容量を実現しているが、PCの高スペック化によって現在では廃れつつある。しかし、TrueTypeフォントなどはビットマップフォントを内蔵できるため、フォント製作者によってはビットマップフォントを埋め込んだTrueTypeフォントを配布していることもある。

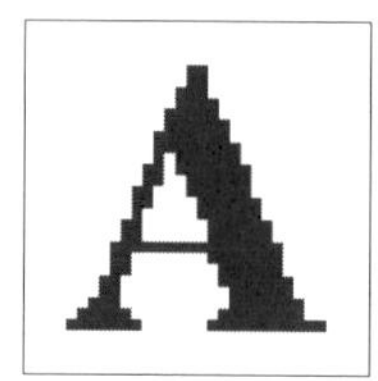
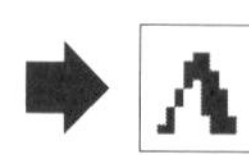

ビットマップフォントは指定されたポイントの倍数以外の大きさを指定すると、文字が崩れてしまう可能性がある。古いレタッチソフトなどを使う場合は気を付けよう。

1byteフォントと2byteフォント

フォントには、256文字以内で構成される「1byteフォント」と、日本語などの必要な文字が多い言語に対応する「2byteフォント」がある。1byteフォントは、そのほとんどがアルファベットをはじめとした、欧文専用フォントとなっているが、容量が小さいためひらがなやカタカナのみのフォントでは1byteフォントを採用しているフォント作者も少なくない。1byteの和文フォントはローマ字入力だと打ちたい文字が打てないため、日本語入力をオフにして「かな入力」で文字を入力する必要がある。

キーボードで「aiueo」と入力

ちにないら

普段ローマ字入力で日本語入力をしていると、1byteの和文フォントはまったく違う文字入力になってしまう。かな入力を使っていれば、日本語入力をオフ状態にすれば普段通りに入力できる。

1byteフォントは入力前にキー配列をチェック

1byteフォントは2byteフォントと異なり、入力時のキー配列が分かりにくいので「アクセサリ」から「文字コード」を起動して、入力するための配列を確認しておこう。文字コードでは、ダブルクリックで文字列の入力も可能。入力した文字列は、クリップボードにコピーして他のアプリに貼り付けることもできる。Macではアップルメニューの「キー配列」で、使用したいフォントを指定すると配列を確認できる。

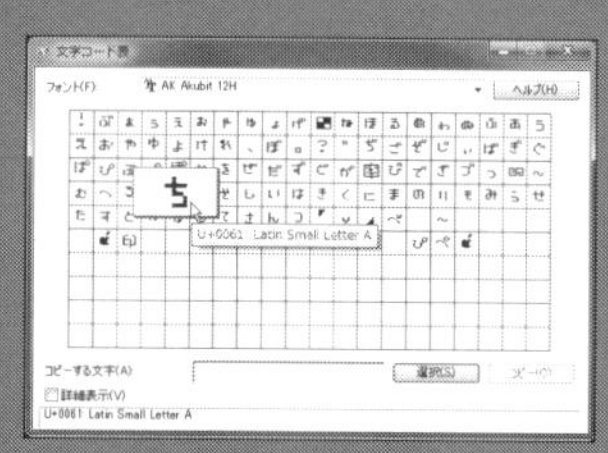

スタートボタンから「アクセサリ」→「システムツール」を開き「文字コード」をクリック。入力したい文字にカーソルを合わせると、対応するキーが表示される。

普段使わないフォントは使うときだけインストールしたい

管理アプリでフリーフォントを一時的にインストール

Windowsで大量のフリーフォントをインストールすると、システムの負荷が大きくなるためPCの動作が重くなってしまう。そうした事態を避けたいなら、フォントを手軽にインストール・アンインストール可能なフォント管理アプリを利用したい。「フォントインストーラーSAKURA」なら、TrueType／OpenTypeフォントを一時的にインストールしたり、現在インストールされているフォントの確認などが可能。ほかにも文字の対応キーを確認したり、フォントをインストールせずに任意の文字列の表示をチェックする機能もある。

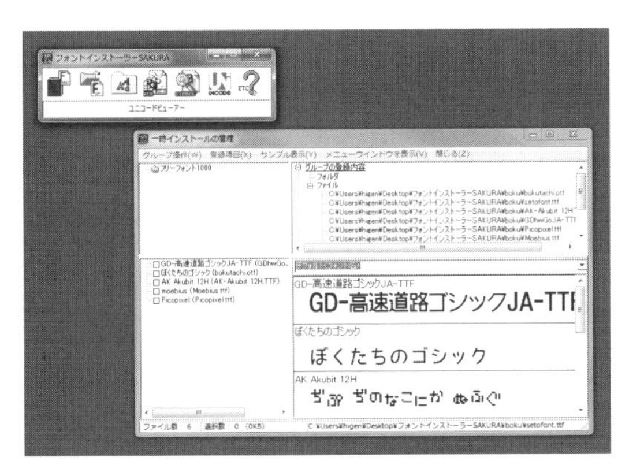

フォントインストーラーSAKURA
作者：たむたむ
URL：http://tam.vni.jp/

おもな機能

❶ 一時インストールの管理
❷ 未インストールフォント閲覧
❸ インストール済みフォント閲覧／削除
❹ シンボルフォントを一覧表示

SAKURAでフォントを一時インストール

1 一時インストールの管理を起動

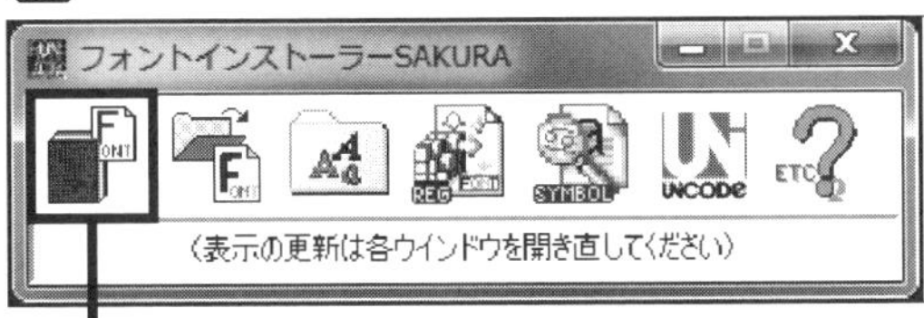

フォントインストーラーSAKURAを起動したら、画面左端の「一時インストールの管理」をクリック。

2 グループを作成

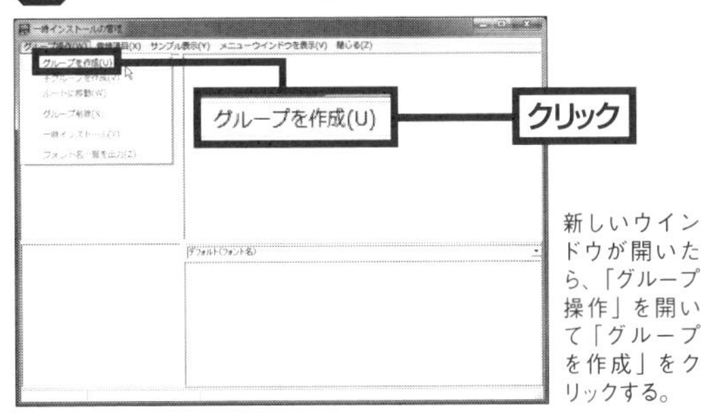

新しいウインドウが開いたら、「グループ操作」を開いて「グループを作成」をクリックする。

3 登録ファイルを追加

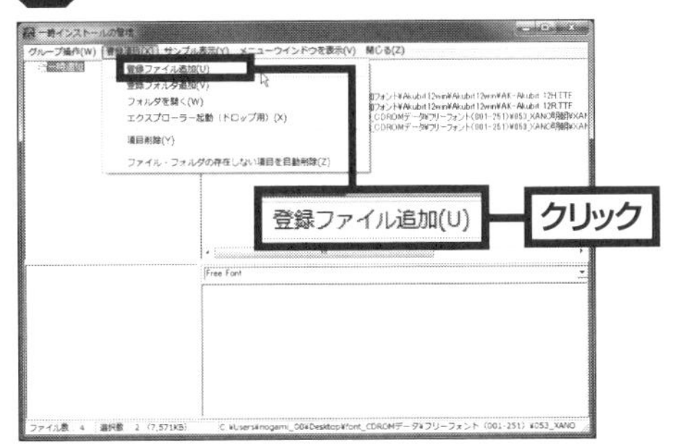

グループを作成したら、グループ名をクリックしてフォントを登録する。「登録項目」から「登録ファイルを追加」または「登録フォルダを追加」をクリック。

4 フォントを選択

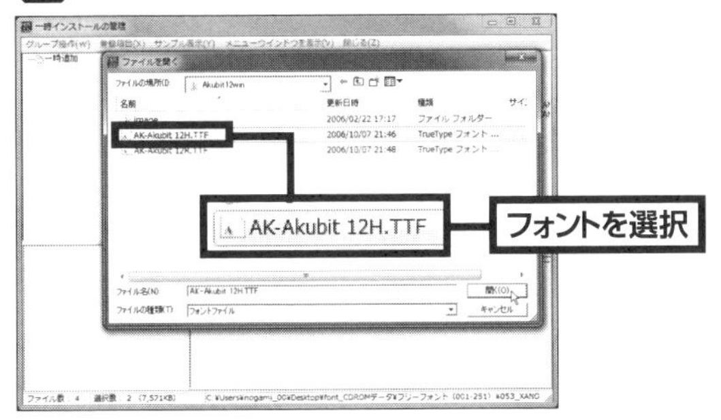

「登録ファイルを追加」を選択した場合は、登録するフォントファイルを選択する。フォルダを登録する場合は、フォントの入ったフォルダを選択しよう。

付録DVD-ROM取り扱い説明

本誌で紹介した1100を超えるフリーフォントはすべて、本誌付録のDVD-ROMに収録されている。
ここでは、付録DVD-ROMと、収録ファイルの使い方を紹介していこう。

目的のファイルをダウンロード

本誌で紹介しているフリーフォントは、付録DVD-ROMの「欧文・和文」それぞれのフォルダの中に「スタンダード・クール・ポップ・デザイン」のカテゴリ別に収録されている。フォントファイルはカテゴリのフォルダ内に「(フォント番号)_(フォント名)」のフォルダに保存されている。13ページからの「欧文・和文フリーフォントカタログ」に収録されている、各フォントの左上に表示されている番号とカテゴリを元に、目的のフォントをDVD-ROMからパソコンにダウンロードしよう。

収録フォルダを番号で確認

002 Archistico 1Byte

作者▸ Archistico URL▸ http://www.archistico.com/

商用利用：OK

WinTT MacTT OpenType MacPS

ABCDEFGHIJKLMN
OPQRSTUVWXYZ
abcdefghijklmnopqrstuvwxyz1234567890

カテゴリのフォルダを開く

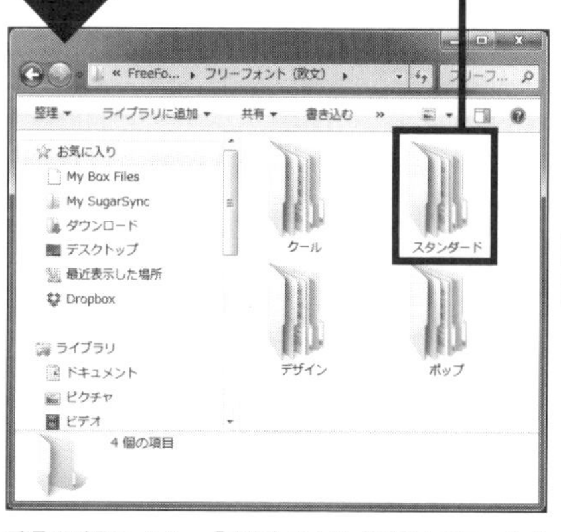

番号を確認したら、「欧文」または「和文」のフォルダを開いて、カテゴリごとのフォルダを開く。対応OS・形式ごとに個別にリリースされているフォントについては、それぞれ対応したフォルダに収録されている。

フォント番号のフォルダを選択

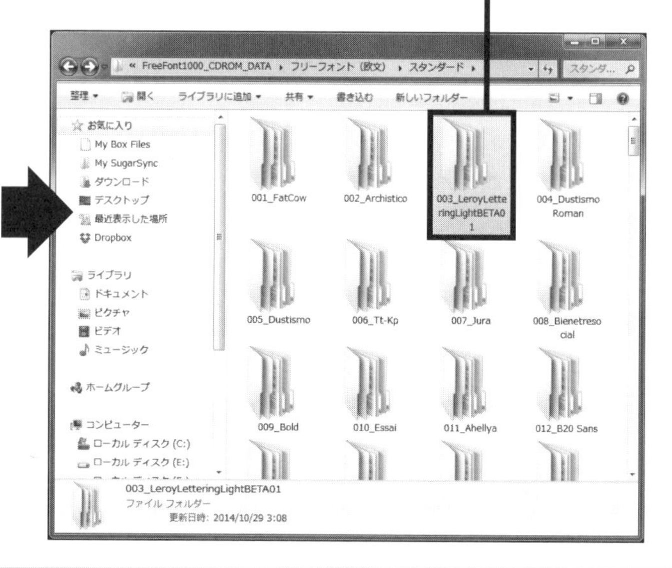

圧縮ファイルの解凍について

付録DVD-ROMに収録されているフォントには、ZIPやLZH、RAR、TARなどの圧縮ファイルにした状態で収録されている物もある。これら圧縮ファイルの解凍には、それぞれの形式に対応した解凍ソフトを使う必要がある。Macintoshであれば標準の「Stuffit Expander」を使えばファイルの解凍ができるが、Windowsの場合はZIPなどの一部圧縮形式以外は解凍ができない。そこで、Windowsユーザーは多くの圧縮形式に対応した「CubeICE」を使おう。インストールすれば圧縮ファイルを右クリックから簡単に解凍できるようになる。

CubeICE
作者：CubeSoft
URL：http://www.cube-soft.jp/cubeice/

1 インストーラ起動

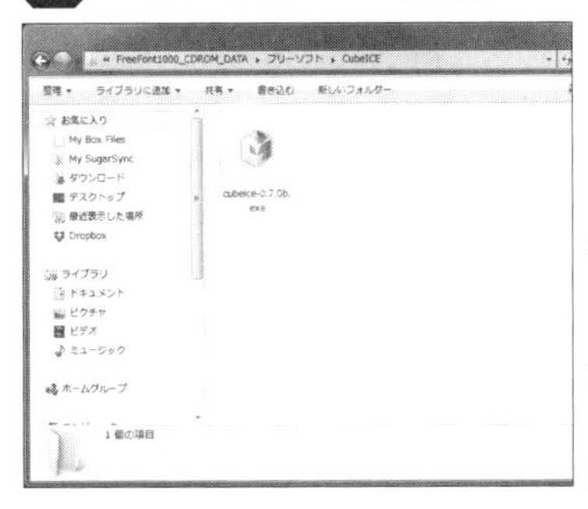

本誌付録DVD-ROMを開き、「フリーソフト」→「CubeICE」フォルダからCubeICEのインストーラ（EXEファイル）をダブルクリックして起動する。

2 使用許諾に同意

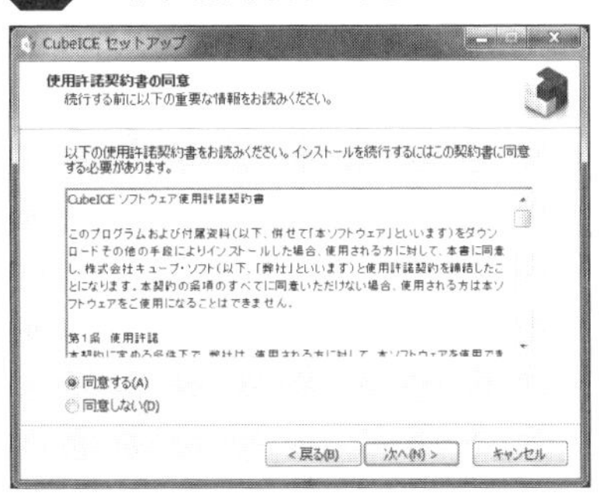

インストーラが起動したら、画面の指示にしたがって作業を進めよう。途中で使用許諾の画面が開いたら、「同意する」を選択。

3 インストールフォルダを指定

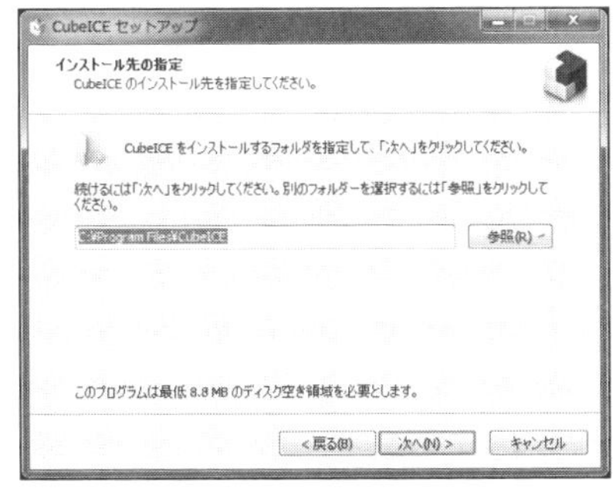

インストールするフォルダを指定する。標準では「C:\Program Files」に保存されるが、他のフォルダに保存したい場合は「参照」をクリックして変更しよう。

4 不要なソフトはインストールしない

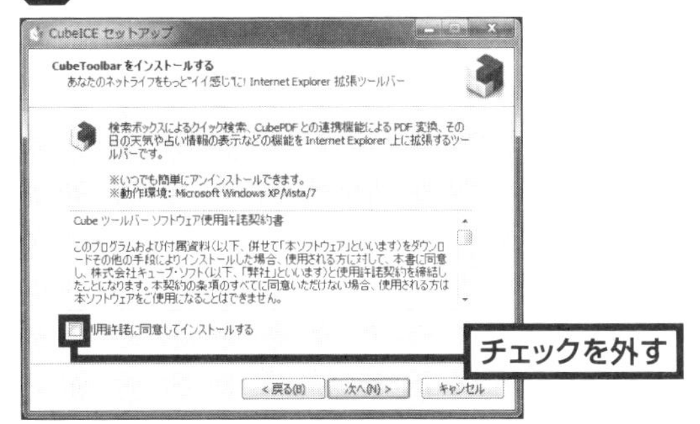

途中でブラウザ用のブックマークバーのインストールを促す画面が表示される。このブックマークバーも解凍とは無関係なので、「追加する」のチェックを外して作業を進めよう。

5 不要な設定のチェックを外す

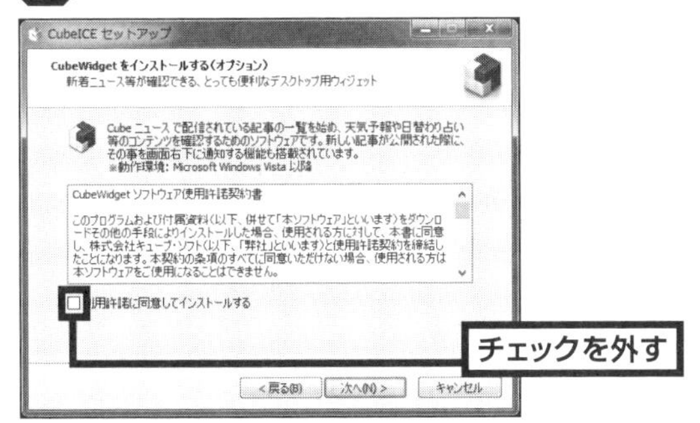

CubeWdgetという追加機能を合わせてインストールするかの確認画面になる。この機能は圧縮・解凍以外のムダな機能ばかりで邪魔なので、「インストールする」のチェックを外して作業を進めよう。

6 右クリックで解凍

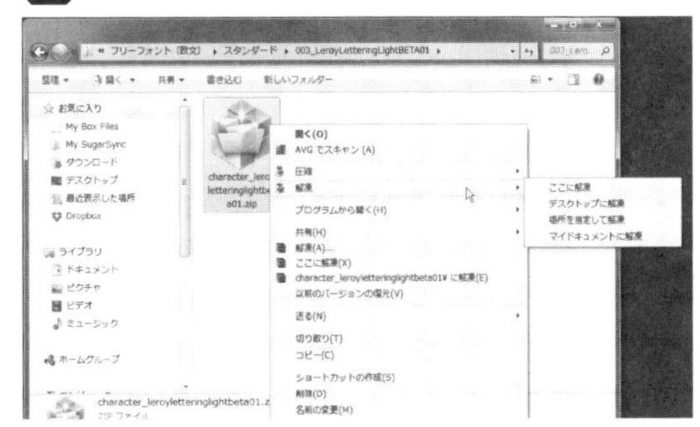

CubeICEのインストールが完了したら、圧縮ファイルを右クリックしてみよう。右クリックメニューにCubeICEのアイコンで「解凍」が追加されている。解凍方法も選択可能だ。

2020年6月5日 第一刷発行

［企画・製作］ standards
www.standards.co.jp

［編集・執筆］ 野上輝之（ゴールデンアックス）
宮北忠佳（ゴールデンアックス）

［表紙・本文デザイン］ ili design

［本文DTP］ 有泉滋人

［編集人］ 澤田 大

［発行人］ 佐藤孔建

［発売所］ スタンダーズ株式会社
〒160-0008
東京都新宿区四谷三栄町12-4
TEL 03-6380-6132（営業部）
03-6380-6136（FAX）

［印刷所］ 三松堂印刷株式会社

［DVD-ROMプリント］ 株式会社エムズカンパニー

●本書は小社刊『デザインの現場で役立つ フリーフォントセレクション1000』の誌面内容をもとに、加筆・修正を加えた書籍になります。一部に同一の記事が掲載されていますが、あらかじめご了承ください。

●本書に関するご質問は、お電話によるお問い合わせには一切お答えしておりませんのであらかじめご了承ください。電子メールにて<info@standards.co.jp>までご質問内容をお送ください。質問の際に、「ご質問者さまのご本名とご連絡先」「購入した本のタイトル」「質問の該当ページ」「質問の内容（詳しく）」「パソコンの環境（使用OSのバージョンやbit数、購入時期・ディスクドライブの有無・種類など）」などを含めてできるだけ詳しく書いてお送りいただきますようお願いいたします。ただし、本書をご購入いただいていない方からの質問、また、本書に掲載されていない事柄や製品、情報などについての質問にはお答えできませんのであらかじめご了承ください。なお、編集部ではご質問いただいた順にお答えしているため、ご回答に1～2週間以上かかる場合がありますのでご了承のほどお願いいたします。